El Forastero EN EL Camino A Emaús

Juan R. Cruz

MANUAL DE TRABAJO

Publicado por GoodSeed® International

CLC
EDITORIAL

CENTROS DE LITERATURA CRISTIANA

CENTROS DE LITERATURA CRISTIANA
en otros países de habla hispana

Colombia: Centros de Literatura Cristiana
               ventasint@clccolombia.com;
               editorial@clccolombia.com
               Bogotá, D.C.
Chile: Cruzada de Literatura Cristiana
               ocomclc@cruzada.tie.cl
               Santiago de Chile
Ecuador: Centro de Literatura Cristiana
               clcec@andinanet.net
               Quito
España: Centro de Literatura Cristiana
               pedidos@clclibros.org
               Madrid
Panamá: Centro de Literatura Cristiana
               clcmchen@cwpanama.net
               Panamá
Uruguay: Centro de Literatura Cristiana
               libros@clcuruguay.com
               Montevideo
U.S.A.:   C.L.C. Ministries International
               orders@clcpublications.com
               Fort Washington, PA
Venezuela: Centro de Literatura Cristiana
               clc-distribucion@cantv.net
               Valencia

EDITORIAL CLC COLOMBIA
Diagonal 61 No. 24-50
Bogota, D.C., Colombia
www.clccolombia.com

ISBN: 978-1-890082-58-1

El Forastero en el Camino a Emaús – Manual de Trabajo

Primera Edición en español © 2007 bajo convenio especial de CLC con GoodSeed ® International.

Este libro fue publicado en inglés bajo el título: The Stranger On The Road To Emmaus - Workbook, 3rd Edition. Copyright 2000, 2001, 2003 por GoodSeed ® International. Catalogado como publicación por la Biblioteca Nacional de Canadá.

Edición y Diseño Técnico: Editorial CLC Colombia

Impreso en Colombia
Printed in Colombia
                    Somos miembros de la Red Letra Viva: www.letraviva.com.

Me gustaría dar las gracias a Meredith DeRidder
por haber iniciado este Manual de Trabajo, a mi
hija Naomi por haberlo sacado adelante, a mi esposa
Janice y a mi hermano David por darle los toques
finales. También expreso mi agradecimiento
a Keith Nazworth por la
traducción al castellano.

CONTENIDO

TOME TIEMPO PARA LEER LO SIGUIENTE 7

CAPÍTULO UNO
1 PRÓLOGO 11
2 PONIENDO LAS COSAS EN ORDEN 11
3 UN LIBRO ÚNICO 12

CAPÍTULO DOS
1 EN EL PRINCIPIO DIOS 17
2 ÁNGELES, EJÉRCITOS Y POTESTADES 18

CAPÍTULO TRES
1 CIELO Y TIERRA 21
2 ERA BUENO 22
3 HOMBRE Y MUJER 22

CAPÍTULO CUATRO
1 EL USURPADOR 27
2 ¿CONQUE DIOS HA DICHO? 28
3 ¿DÓNDE ESTÁS? 29
4 MUERTE 31

CAPÍTULO CINCO
1 UNA PARADOJA 37
2 LA EXPIACIÓN 39
3 DE DOS EN DOS 40
4 LA TORRE DE BABEL 42

CAPÍTULO SEIS
1 ABRAHAM 45
2 CREER 46
3 ISAAC 47

CAPÍTULO SIETE
1 ISRAEL Y JUDÁ 51
2 MOISÉS 52
3 EL FARAÓN Y LA PASCUA 53

CAPÍTULO OCHO
1 PAN, CODORNIZ Y AGUA 57
2 LOS DIEZ MANDAMIENTOS 58
3 LA SALA DEL TRIBUNAL 60

CAPÍTULO NUEVE
1 El tabernáculo 65
2 Incredulidad 67
3 Jueces, reyes y profetas 68

CAPÍTULO DIEZ
1 Elisabet, María y Juan 73
2 Jesús 74
3 Entre los maestros de la Ley 75
4 Bautismo 76

CAPÍTULO ONCE
1 Tentado 79
2 Poder y fama 80
3 Nicodemo 81
4 Rechazo 83
5 El pan de vida 84

CAPÍTULO DOCE
1 Trapos de inmundicia 87
2 El camino 88
3 Lázaro 89
4 El infierno 90
5 Aceptación y traición 92

CAPÍTULO TRECE
1 El arresto 95
2 La crucifixión 96
3 El entierro y la resurrección 98

CAPÍTULO CATORCE
1 El forastero 101
2 El mensaje del camino a Emaús 101
  —Desde Adán hasta Noé—
3 El mensaje del camino a Emaús 103
  —Desde Abraham hasta la Ley—
4 El mensaje del camino a Emaús 106
  —Desde el tabernáculo hasta la serpiente de bronce—
5 El mensaje del camino a Emaús 108
  —Desde Juan el Bautista hasta la resurrección—

CAPÍTULO QUINCE
1 ¿Qué es lo que quieres que haga? 113
2 Esperaré un tiempo conveniente 117

RESPUESTAS A LAS PREGUNTAS 118

Tome Tiempo Para Leer Lo Siguiente...

El sólo pensamiento de tener que estudiar la Biblia puede intimi-
dar a las personas. Es un libro tan grande y tan controversial,
que alguno podría preguntarse si hay esperanza de lograr entenderla o no. Pero, ¡ánimo! Entender el mensaje central de la
Biblia no toma tanto tiempo como uno pensaría. Mucha gente
pasa más horas de la semana frente al televisor, de las que le
tomaría completar este estudio. He aquí unas sugerencias antes
de comenzar:

1. Aprenda para usted mismo. El objetivo de este libro es estu-
    diar el tema central de la Biblia. Si lo cree o no depende de
    usted. No hay necesidad de discutir sus creencias actuales ni
    sus conclusiones futuras.

2. Trate de captar un panorama general primero. No interrum-
    pa el flujo del estudio, a menos que surja una pregunta que
    necesita ser contestada para aclarar el tema que está estu-
    diando en el momento. Escriba sus inquietudes en un papel
    y guárdelas hasta el final. Una vez que tenga en mente un
    panorama general, entonces podrá regresar y entrar en los
    detalles para dar respuesta a sus preguntas.

3. Aprenda una lección a la vez, en la secuencia en que están
    escritas. Este no es el tipo de estudio bíblico en el que se
    puede saltar de una lección a otra. Es importante que lea
    cada capítulo de *El Forastero en el Camino a Emaús* y con-
    teste las preguntas en el manual de trabajo primero, antes de
    seguir a la siguiente lección. Si usted contesta una pregunta
    incorrectamente, busque la respuesta en la página indicada
    y repase brevemente el material. Tomará solo un minuto, y
    le ayudará inmensamente a medida que estudia más profun-
    damente el libro.

    Manténgase alerta para reconocer preguntas que tal vez
    aparecerán, sobre el contenido de lecciones previamente es-
    tudiadas.

    Si parar y contestar las preguntas del manual le interrumpe la
    fluidez de la historia bíblica en su mente, entonces déjelas a un
    lado y lea atentamente *El Forastero en el Camino a Emaús.*

4. Asegúrese de completar el estudio. Formarse un juicio apresurado sobre el mensaje principal de la Biblia antes de completarlo, implica un riesgo alto de llegar a conclusiones erróneas.

5. Las preguntas en este manual no se deben considerar como una prueba o examen. Son simplemente un repaso –para asegurar su entendimiento de los puntos claves. Si encuentra que una pregunta es demasiado fácil, quiere decir que usted ha comprendido el material. Otras personas posiblemente la encontrarán difícil.

   Algunas preguntas están hechas con el propósito de probar su atención. En varias instancias puede haber más de una respuesta correcta. Marque todas las que sean correctas. Para las que requieren llenar espacios, hay un espacio para cada letra.

6. El contenido bajo el título PARA PROFUNDIZAR, no sólo refuerza lo que usted aprendió, sino que le ayuda a conocer y manejar mejor la Biblia.

7. Para maximizar su comprensión, necesitará algunas herramientas:
   a) Una Biblia: puede hacer todo el estudio sin ella, pero para lograr mejores resultados obtenga una completa que tenga tanto el Antiguo como el Nuevo Testamento. Puesto que ocasionalmente aparecen versículos en la sección PARA PROFUNDIZAR, y estos son tomados de la traducción bíblica conocida como Reina-Valera 1960 © RV60 ©, le sugerimos conseguir la Biblia en esta versión.
   b) El libro *El Forastero en el Camino a Emaús* contiene aproximadamente 1300 versículos acompañados de comentarios bíblicos. A pesar de ser un libro de estudio, se lee como un cuento y no como un texto escolar. Si no lo tiene todavía, vea la última página de este manual para saber cómo puede adquirir uno. Las respuestas a las preguntas del MANUAL DE TRABAJO se encuentran precisamente en ese libro.

Ahora tome El Forastero en el Camino a Emaús, lea el Prefacio en la página 1 y comience con el Capítulo Uno. Conteste las preguntas del Manual de Trabajo correspondientes a cada sección y ¡disfrute de su estudio!

Lo que dice la Biblia sobre Dios:

Bienaventurados los que... con todo el corazón le buscan Salmo 119:2

... porque es necesario que el que se acerca a Dios crea que le hay, y que es galardonador de los que le buscan. Hebreos 11:6

Capítulo Uno
Preguntas de Repaso

1 Prólogo

2 Poniendo las Cosas en Orden

3 Un Libro Único

1 PRÓLOGO

No hay preguntas sobre esta sección.

2 PONIENDO LAS COSAS EN ORDEN

1. La Biblia ha sido el libro de mayor venta durante muchos siglos.

   ❏ Verdadero

   ❏ Falso

2. De cierto modo, la Biblia es como un rompecabezas. Para entenderla correctamente las piezas del mensaje deben ser colocadas en la forma correcta.

   ❏ Verdadero

   ❏ Falso

3. Principios excelentes para poder entender la Biblia son: (Marque todas las respuestas correctas.)

   A. Aprender los conceptos simples primero, para después seguir con los más complejos.

   B. Empezar por el principio y avanzar gradualmente hasta el final siguiendo el orden de los acontecimientos.

   C. No mezclar los distintos temas.

   D. Empezar con una mirada general y luego, si se desea, agregar los detalles.

4. La Biblia toca muchos temas diferentes. Si saltamos de un tema a otro el resultado final será:

   A. Entendimiento claro de la Biblia.

   B. Confusión.

5. Los propósitos de EL FORASTERO EN EL CAMINO A EMAÚS son:

   A. Tocar eventos claves de la Biblia.

   B. Alinear las historias de la Biblia en una secuencia lógica para comprenderla mejor.

   C. Cubrir todos los eventos bíblicos con mucha profundidad.

D. Atar los cabos de cada una de las historias bíblicas con el fin de tener un mensaje claro y continuo.

3 UN LIBRO ÚNICO

1. ¿La Biblia es una colección de cuántos libros?

    A. 44

    B. 55

    C. 66

2. ¿Cuánta gente usó Dios para escribir estos libros?

    A. Doce personas.

    B. Más de cuarenta personas.

    C. Aproximadamente 1.500 personas.

3. ¿Cuántos años llevó la composición total de la Biblia?

    A. Aproximadamente 5.000 años.

    B. Exactamente setenta años.

    C. Aproximadamente 1.500 años.

4. Según las Escrituras, ¿Quién fue el verdadero autor de cada libro de la Biblia?

    A. Un solo profeta humano.

    B. Dios.

    C. La Biblia no lo dice.

5. La Biblia dice que no debe separarse a Dios de sus palabras. Por eso, nos referimos a la Biblia como:

    A. La palabra de Dios.

    B. Las Escrituras.

6. La Biblia dice que Dios inspiró a ciertos profetas de tal manera que lo que escribieron fue precisamente lo que Él quería que escribieran, pero cuando era necesario podían añadir sus propios pensamientos.

    ❏ Verdadero

    ❏ Falso

7. Tenemos suficientes razones para estar seguros de que la Biblia que tenemos hoy es:

   A. Esencialmente lo mismo que escribieron los profetas.

   B. Totalmente diferente de lo que escribieron los profetas.

   C. Semejante, en su esencia, a lo que escribieron los profetas.

8. Las Escrituras se dividen en tres secciones principales: el Antiguo Testamento, el Nuevo Testamento, y la Concordancia.

   ❏ Verdadero

   ❏ Falso

9. ¿Qué postula la Biblia en cuanto a sí con respecto a Dios?

   A. Que es la expresión de las ideas de los hombres sobre la naturaleza de Dios.

   B. Que es la Palabra de Dios.

PARA PROFUNDIZAR:

1. En la antigüedad, un profeta era un mensajero que le traía a la gente las palabras de Dios. El mensaje normalmente tenía que ver con aspectos de la vida cotidiana, pero casi siempre incluía cosas aún por venir. Esto de predecir el futuro tenía un aspecto práctico. Era una prueba para determinar si el profeta era genuino.

   El profeta que tuviere la presunción de hablar palabra en mi nombre, a quien yo no le haya mandado hablar, o que hablare en nombre de dioses ajenos, el tal profeta morirá.

   Deuteronomio 18:21

   El mensaje del profeta era válido si sus profecías se cumplían exactamente. El margen de corrección era el cien por ciento de las veces—no era posible equivocación alguna.

   Y si dijeres en tu corazón: ¿Cómo conoceremos la palabra que Jehová no ha hablado?; *Deuteronomio 18:20*

   Quiere decir que si un profeta no cumplía el cien por ciento, debía morir. Es obvio que tal sistema no fomentaba a los que quisieran ser profetas falsos.

2. Busque el principio y el fin del Antiguo Testamento y del Nuevo Testamento.

3. Identifique las partes de la Biblia que no son la Palabra de Dios, tales como las notas, los mapas, la concordancia, etc.

4. Busque y lea los siguientes versículos de la Biblia (Capítulo del libro: Versiculo):

   2 Timoteo 3:16;   2 Pedro 1:20,21;   Salmos 119:160

Capítulo Dos
Preguntas de Repaso

1 En el Principio Dios...

2 Ángeles, Ejércitos y Potestades

1 EN EL PRINCIPIO DIOS...

Recuerde que puede haber más de una respuesta correcta.

1. Dice la Biblia que Dios se hizo a sí mismo en la eternidad pasada.

    ❏ Verdadero

    ❏ Falso

2. Según la Biblia, Dios ha existido desde la eternidad pasada hasta la _ _ _ _ _ _ _ _ _ futura.

3. ¿Qué necesita Dios para existir según la Biblia?

    A. Las cosas esenciales y básicas que necesita cualquier ser viviente.

    B. Sustancia eternal.

    C. Nada.

4. Dios tiene varios nombres que describen su carácter. Uno de estos nombres es ____ _____, que lleva el sentido de que Dios existe por Su propio poder. (dos palabras)

5. El nombre Jehová dirige nuestra atención a Su estado—Su posición es más alta que la de cualquier ser humano. El es Señor de señores.

    ❏ Verdadero

    ❏ Falso

6. El termino El Altísimo muestra que hay muy pocos semejantes a Él. Él es el que gobierna el universo.

    ❏ Verdadero

    ❏ Falso

7. La Biblia dice que Dios es soberano. Esto quiere decir que es el _____ del universo.

    A. Señor

    B. Líder

    C. Rey

8. La Biblia afirma claramente que hay solamente _ _ Dios.

9. La Biblia dice que Dios es invisible. Él es _ _ _ _ _ _ _ _.

Para profundizar:

Busque y lea los siguientes versículos de la Biblia (Capítulo del libro):

Salmo 102:12; Salmo 8:1; Jeremías 10:10a

2 Ángeles, Ejércitos y Potestades

1. En la Biblia, ¿cuáles de estos nombres se usan para referirse a los espíritus?

    A. Querubines

    B. Ángeles

    C. Estrellas

    D. Potestades

2. La Biblia indica que los ángeles son:

    A. Invisibles

    B. Innumerables

    C. Iguales a Dios

3. Los seres angelicales fueron creados para servir a Dios.

    ❏ Verdadero

    ❏ Falso

4. Marque con un círculo las palabras que comunican mejor cómo se relaciona Dios con sus seres creados.

    El que _____ el remo también _____.

hace	lo arregla
compra	es su dueño
quiebra	lo vende

5. Aunque los seres angelicales tienen gran intelecto y poder, no tienen capacidad para escoger porque no se los dotó de voluntad.

    ❏ Verdadero

    ❏ Falso

6. ¿Qué nombre latino se usa para el espíritu más poderoso y hermoso de la creación?

    A. Gabriel

    B. Lucifer

    C. Miguel

7. La palabra ungido quiere decir apartado para Dios.

    ❏ Verdadero

    ❏ Falso

8. La Biblia dice que Dios es digno de:

    A. Alabanza

    B. Nada

9. La palabra adoración significa: reconocer el _ _ _ _ _ de una persona.

PARA PROFUNDIZAR

Busque y lea los siguientes versículos de la Biblia (LIBRO *capítulo*:versículo):

NEHEMÍAS 9:6; SALMO 145:3; APOCALIPSIS 4:11

Capítulo Tres
Preguntas de Repaso

1 Cielo y Tierra

2 Era Bueno

3 Hombre y Mujer

1 CIELO Y TIERRA

1. El primer libro de la Biblia se llama Génesis, que significa principios u orígenes.

   ❏ Verdadero

   ❏ Falso

2. ¿Qué medios usó Dios para crear el mundo?

   A. Usó a los angeles.

   B. Solamente habló.

   C. Usó los elementos básicos.

3. Nosotros como seres humanos creamos usando sólo materiales ya existentes, pero cuando Dios creó, lo hizo de __ __ __ __ __ __.

4. Dios tiene poder sin límites. Es más poderoso que cualquier otro ser.

   ❏ Verdadero

   ❏ Falso

5. La Biblia afirma que Dios es sumamente inteligente. Sin embargo, Su sabiduría es limitada.

   ❏ Verdadero

   ❏ Falso

6. La Biblia es clara al decir que sólo Dios posee estos tres atributos:

   A. __ __ __ __ __ __ __ __ __ __ __ __ total,

   B. __ __ __ __ __ absoluto,

   C. y presencia en todo lugar al

   __ __ __ __ __ __ __ __ __ __

7. La Biblia enseña claramente el concepto de panteísmo—la idea de que Dios está en todas las cosas y por lo tanto todo es Dios.

   ❏ Verdadero

   ❏ Falso

Para profundizar:

Busque y lea los siguientes versículos de la Biblia (*capítulo*: versículo).

Salmo 33:8,9; Salmo 139:1-6; Isaías 40:25,26,28

2 Era Bueno

(Escoja la respuesta de la lista de palabras al final de esta sección.)

1. Según la Biblia, Dios creó el mundo en siete días.

   ❑ Verdadero

   ❑ Falso

2. Las Escrituras indican que, en su forma original, el mundo era diferente de lo que vemos hoy.

   ❑ Verdadero

   ❑ Falso

3. Todo el universo sigue leyes muy exactas que nos muestran que Dios es un Dios de _ _ _ _ _.

4. Instintivamente, tratamos las leyes naturales con gran respeto, porque entendemos que si uno está sometido a una ley, está expuesto a las consecuencias al no cumplirlas.

   ❑ Verdadero

   ❑ Falso

5. Dios hizo que cada animal se reprodujera de acuerdo a su _ _ _ _ _ _, de modo que los gatos solamente procrean gatos.

6. La Biblia dice: y vio Dios que era bueno. O sea que todo lo que creó era…

   A. Perfecto.

   B. Sin mancha.

   C. Puro.

7. La creación que llevó a cabo Dios era perfecta porque Dios mismo es perfecto. Dos palabras que describen este aspecto de la naturaleza pura del Señor son _ _ _ _ _ _ y _ _ _ _ _. Ambas significan ser sin mancha.

8. Dios creó la hermosa variedad que vemos y en la cual nos regocijamos. Esto nos muestra que Dios se _ _ _ _ _ _ _ _ de nosotros.

LISTA DE PALABRAS

santo   orden   género   justo
interesa   confianza   se preocupa   amistoso

PARA PROFUNDIZAR:

En la Biblia, busque el primer capítulo del libro Génesis, y repase los días de la creación. Ponga la letra apropiada en el espacio en blanco a la izquierda de los días.

___ Día Uno   a. las plantas

___ Día Dos   b. las aves

___ Día Tres   c. Dios reposó o descansó

___ Día Cuatro   d. los animales terrestres y el hombre

___ Día Cinco   e. la expansión (la atmósfera)

___ Día Seis   f. las estrellas

___ Día Siete   g. la luz

3 HOMBRE Y MUJER

1. La Biblia dice que el hombre fue creado a la imagen de Dios. Un significado de esto es que Dios creó al hombre con (hay tres respuestas correctas):

 A. Una mente.

 B. Un cuerpo físico.

 C. Emociones.

 D. Voluntad.

2. ¿Cuál de éstas es verdad?

 A. Dios sopló en el hombre aliento de vida.

 B. El hombre se dio vida por su propia cuenta.

 C. Un ángel dio vida al hombre.

3. ¿Qué significa el nombre Eva?

    A. Sierva

    B. Dadora de vida

    C. Mujer

4. Dios puso a Adán y Eva en el jardín del Edén. Este jardín era:

    A. Suficiente para las necesidades de Adán y Eva.

    B. Un paraíso perfecto en el que había de todo.

    C. Insuficiente para satisfacer los deseos de Adán y Eva.

5. Dios tenía que pedir permiso a Adán y Eva antes de tomar alguna acción que los afectara.

    ❏ Verdadero

    ❏ Falso

6. Dios, siendo el Creador de Adán y Eva, también era su

    _ _ _ _ _.

7. ¿Cuál fue la única restricción que se les impuso a Adán y Eva?

    A. Comer del árbol de la vida

    B. Comer del árbol del conocimiento del bien y del mal

    C. No comer de ninguno de los dos árboles

    D. No había ninguna restricción

8. La capacidad de _ _ _ _ _ _ _ es lo que nos distingue de los robots. Hace que la relación sea genuina.

9. La facultad de elegir hace que la palabra _____ tenga significado y profundidad.

    A. "esclavizar"

    B. "ganar"

    C. "obedecer"

10. La Biblia dice que el hombre fue creado para reflejar la magnificencia de Dios y para honrarle de la misma manera que un hijo honra a su padre.

    ❏ Verdadero

    ❏ Falso

11. El Creador era _____ de Adán y Eva.

    A. El mejor amigo

    B. Un académico especializado y distante

    C. Un extraño indiferente y frío

12. La Biblia nos enseña que solamente una persona perfecta puede vivir en la presencia de un Dios perfecto.

    ❑ Verdad

    ❑ Falso

Para profundizar:

1. En Papúa (Nueva Guinea), la cultura establece que el dueño del remo es el que lo hizo. En la Biblia, busque estos versículos que ilustran el concepto de que el creador es el dueño.

    1 Crónicas 29:11-12; Salmo 24:1,2; Salmo 47:2

2. Muchas Biblias tienen una concordancia al final. Ésta es una herramienta que nos ayuda a hallar un versículo. Un ejemplo es si nos acordamos que Dios dijo que iba a crear al hombre a su imagen, pero no recordamos dónde se encuentra ese versículo. Usando la concordancia, trate de hallar este versículo bajo la palabra *"imagen"*.

    Y creó Dios al hombre a su imagen, a imagen de Dios lo creó; varón y hembra los creó.

Capítulo Cuatro
Preguntas de Repaso

1 El Usurpador

2 ¿Conque Dios Ha Dicho?

3 ¿Dónde Estás?

4 Muerte

1 El Usurpador

1. Lucifer era un ángel poderoso _____ por Dios para ciertas responsabilidades.

    A. Bautizado

    B. Elegido

    C. Cristianizado

2. La Biblia documenta cinco declaraciones egoistas por Lucifer:

    "_ _ _ _ _ _ al cielo..."

    "_ _ _ _ _ _ _ _ _ mi trono más allá de las estrellas de Dios..."

    "me _ _ _ _ _ _ _ en mi trono en el monte de las asambleas, en la cumbre más alta de la montaña sagrada sobre las nubes."

    "_ _ _ _ _ _ y _ _ _ _ semejante al Altísimo."

    Isaías 14:12-14

3. La rebelión de Lucifer fue iniciada por su

    _ _ _ _ _ _ _.

4. Para Dios, un corazón orgulloso es una clase de

    _ _ _ _ _ _.

5. La Biblia dice que, por el hecho de ser perfecto, Dios no podía tolerar la presencia del _ _ _ _ _ _.

6. Cuando Dios expulsó a Satanás y a sus seguidores de Su presencia, Satanás se hizo el peor enemigo de Dios y declaró guerra contra todo lo bueno que Dios había hecho, y haría.

    ❏ Verdadero

    ❏ Falso

7. ¿Cuántos ángeles siguieron a Lucifer en su rebelión?

    A. La mitad

    B. Un tercio (33 por ciento)

    C. Tres cuartos

8. Lucifer es conocido por otros nombres que revelan aspectos de su carácter. Seleccione dos significados con cada nombre. Si necesita ayuda, remitase a la página 54.

    A. Diablo   a. adversario

                            b. falso acusador

    B. Satanás   c. calumniador

                            d. enemigo

9. La Biblia dice que Dios ha preparado un lugar para estos espíritus rebeldes que se llama el __ __ __ __ de __ __ __ __ __.

Para profundizar:

Busque y lea los siguientes versículos de la Biblia.

Exodo 15:11; Apocalipsis 20:10

2 ¿Conque Dios Ha Dicho?

1. La Biblia nos dice que Satanás

    A. Es el gran engañador.

    B. Es un bromista inofensivo.

    C. Desea hacernos totalmente felices.

    D. Existe solamente en nuestra imaginación.

2. Cuando Satanás llegó al Jardín, puso en la mente de Eva algo que ella jamás había imaginado—que la criatura podía _____ Creador.

    A. Criticar al

    B. Cuestionar al

    C. Confiar en el

3. Para empezar, Satanás cuestionó la palabra de Dios con el fin de que Eva dudara. Luego, la _____ en forma directa y clara.

    A. Negó

    B. Ignoró

    C. Aprobó

4. Lo que Adán y Eva hicieron se podría comparar con la actitud de un par de niños que, desobedeciendo las instrucciones de su madre, juegan en la calle. Estas criaturas están convencidas de que, con respecto a lo que es seguro y divertido, saben __ __ __ __ __ __ su mamá. Adán y Eva pecaron cuando pensaron que sabían qué era mejor para ellos __ __ __ __ __ __ __ __ Dios.

5. La Biblia dice que Dios consideró la desobediencia de Adán y Eva como una equivocación inocente—un mal entendido.

   ❑ Verdadero

   ❑ Falso

6. Quebrantar la ley trae consecuencias. La Escritura nos enseña que los efectos del pecado son muy costosos.

   ❑ Verdadero

   ❑ Falso

7. Adán y Eva se hicieron ropa de hojas de higuera y se escondieron de Dios porque sentían una sensación perturbadora que les era nueva: __ __ __ __ __ __ __ __ __.

8. Adán y Eva tenían dos __ __ __ __ __ __ __ __ __ __ __ __: obedecer o desobedecer. Aunque parezca insignificante, para Dios toda desobediencia es considerada __ __ __ __ __ __.

9. Aunque el pecado de Adán y Eva dañó la relación que tenían con Dios, no causó consecuencias permanentes.

   ❑ Verdadero

   ❑ Falso

PARA PROFUNDIZAR:

Busque y lea los siguientes versículos de la Biblia:

JUAN 8:44;   2 CORINTIOS 11:14;   1 SAMUEL 15:23A

3   ¿DÓNDE ESTÁS?

1. Dios sabía que Adán y Eva habían comido del fruto prohibido antes de hablar con ellos.

   ❑ Verdadero

   ❑ Falso

2. Cuando Dios halló a Adán y Eva en el Jardín, Su conversación empezó con una __ __ __ __ __ __ __.

3. El Señor quería que Adán y Eva aclararan sus pensamientos sobre lo sucedido. ¡Ellos habían desobedecido a Dios! Habían confiado en Satanás en lugar de confiar en Él.

   ❑ Verdadero

   ❑ Falso

4. ¿A quién le echó la culpa Adán? (Hay dos respuestas correctas)

   A. A Eva

   B. A Dios

   C. A sí mismo

   D. A la serpiente

5. ¿A quién le echó la culpa Eva? (hay dos respuestas correctas)

   A. A Adán

   B. A la serpiente

   C. A sí misma

   D. A Dios

6. Adán y Eva confesaron ser pecadores culpables.

   ❑ Verdadero

   ❑ Falso

7. Las acciones de Adán y Eva afectaron a:

   A. Ellos solamente

   B. Toda la raza humana.

8. La Biblia anuncia esta promesa: un niño varón, la simiente de la mujer algún día nacería. Este niño libraría a la humanidad de las consecuencias del pecado. Sería conocido como el

   A. Ungido.

   B. Salvador Prometido.

   C. Escogido.

9. La Biblia también dice que Satanás le causaría daño temporal a esta criatura, pero que el niño haría que Satanás _____.

    A. Fuera aniquilado.

    B. Estuviera grave.

    C. Diera ayuda.

10. Esta promesa de un Salvador agrega otra palabra a la lista de nombres que revelan el caracter de Dios. Sería conocido como el Salvador o el que salva.

    ❑ Verdadero

    ❑ Falso

11. Como resultado del pecado de Adán y Eva, la creación ya no era perfecta. Todo sufrió:

    A. Una sequía.

    B. Una maldición.

    C. Un diluvio.

12. Así como terminamos con huesos rotos si desafiamos la ley de la gravedad, si no obedecemos la palabra de Dios, las consecuencias son terribles. La consecuencia más amarga del pecado es la __ __ __ __ __ __.

PARA PROFUNDIZAR:

Busque y lea los siguientes versículos de la Biblia:

ECLESIASTÉS 12:14;   ROMANOS 5:12

4 MUERTE

1. En la Biblia, la muerte no solo significa separación, sino también aniquilación o inexistencia.

    ❑ Verdadero

    ❑ Falso

2. Busque el significado de las frases a la izquierda:

___ A. La muerte del cuerpo   1. El espíritu del hombre se separa de Dios

___ B. La muerte de una relación   2. El espíritu del hombre se separa de Dios por toda la eternidad

___ C. La muerte del gozo futuro: la segunda muerte   3. El espíritu del hombre se separa de su cuerpo

3. Dios es tan puro que no puede contemplar el mal. No puede tolerar el pecado.

❑ Verdadero

❑ Falso

Complete el crucigrama con las respuestas a las siguientes preguntas. Puede usar la Biblia para completar los versículos.

HORIZONTALES

1. La Biblia dice que, al morir, las personas *"dejan de ser, Y vuelven al* _ _ _ _ _*."* Salmo 104:29

2. La Biblia dice que el pecado causa una deuda que se tiene que pagar con la _ _ _ _ _ _.

3. La Biblia dice que por los pecados del hombre, Dios se ha _ _ _ _ _ _ _ de él.

4. Por los pecados de Adán, nos tocará a todos la muerte física, llamada también la muerte del _ _ _ _ _ _.

5. Los pecadores sufrirán el mismo castigo que Satanás, llamado en la Biblia la _ _ _ _ _ _ _ muerte, probablemente porque ocurre después de la muerte física.

6. Hablando de toda la humanidad, la Biblia dice que somos *"*_ _ _ _ _ _ _ _*"* de Dios. Colosenses 1:21

7. El diablo quería _ _ _ _ _ _ a la mujer a comer el fruto y así pecar.

VERTICALES

1. La Biblia dice que *"la (a)*_ _ _ _ _ *del (b)*_ _ _ _ _ _ *es la muerte."* Romanos 6:23

2. Por su naturaleza pecaminosa, toda la humanidad, está condenada a la muerte _ _ _ _ _ _ _.

3. Antes del pecado, Adán y Dios tenían una _ _ _ _ _ _ _ _ de mutua amistad. Pero cuando Adán y Eva se unieron a Satanás en su rebelión, se acabó esa _ _ _ _ _ _ _ _.

4. Como el hombre siguió a Satanás, estará con él después de la muerte en el (a)_ _ _ _ de (b)_ _ _ _ _, creado para castigar a Satanás y sus demonios.

5. Naturalmente las manzanas producen manzanas y de los gatos nacen gatos. De la misma forma los hombres _ _ _ _ _ _ _ _ _ se reproducen y procrean más hombres _ _ _ _ _ _ _ _.

6. Dios es santo, y le ofende todo pecado, que es inmundo para Él. Dios se __ __ __ __ __ al pecado y lo rechaza.

7. La Biblia dice que (a)__ __ __ __ __ estamos *"muertos en nuestros delitos y (b)*__ __ __ __ __ __ __ __*."*   Efesios 2:1

Para profundizar:

Usando la Biblia, busque y complete los siguientes versículos.

✳ Romanos 5:12   *Por tanto, como el pecado entró en el mundo por ____ hombre, y por el pecado la _____, así la _____pasó a _____ los hombres, por cuanto _____ pecaron.*

El hombre tiene una naturaleza pecaminosa, a veces llamada la naturaleza adámica. Esta naturaleza se compara con una condición enfermiza y como tal los síntomas de esta condición son los actos pecaminosos.

✳ Mateo 25:41   *Entonces dirá también a los de la izquierda: Apartaos de mí, malditos, al fuego eterno _____ para el _____ y sus ángeles.*

Capítulo Cinco
Preguntas de Repaso

1   Una Paradoja

2   La Expiación

3   De Dos en Dos

4   La Torre de Babel

1 UNA PARADOJA

Para este ejercicio, escoja la respuesta de la lista de palabras al final de esta sección.

1. Así como Dios estableció leyes físicas que gobiernan el universo, también dispuso _____ espirituales que rigen la relación entre Dios y el hombre.

2. Hace siglos, cuando uno incurría en una deuda en el Medio Oriente, se firmaba un documento oficial para que las partes involucradas no se olvidaran de la deuda que debían pagar. Este documento era un _____ de _____.

3. La Biblia nos enseña que moralmente nuestros pecados incurren en una deuda. Y se nos aplica *"la ley del* _____ *y de la* _____.*"*

4. La Biblia dice, *"El alma que peca morirá."*

   ❏ Verdadero

   ❏ Falso

5. Según la Biblia, la deuda que se contrae por el pecado se paga solamente con:

   A. Dinero.

   B. La muerte.

   C. Trabajo duro.

6. La humanidad debe enfrentar un dilema que tiene dos facetas, consideradas como las dos caras de una moneda.

   ❖ Tenemos algo que no queremos:

      una naturaleza _____ con todas sus consecuencias.

   ❖ Necesitamos algo que no tenemos:

      una _____ que nos haga aceptables en la presencia de Dios.

LISTA DE PALABRAS			
deuda	pecado	bondad	vida
muerte	orgullo	amor	perfección
moralidad	certificado	leyes	santidad
pecaminosa			

7. La Biblia dice que Dios es justo; como juez no trata a una persona de una manera y a otra de manera diferente.

   ❑ Verdadero

   ❑ Falso

8. Dios manifestó un tipo de amor cuando creó el mundo: demostró un _____ y un _____. Pero luego reveló un amor más profundo: un amor _____. A este amor nos referimos cuando usamos las palabras: gracia, misericordia, bondad y compasión. Use palabras de la siguiente lista:

   | inmerecido   cuidado   interés   romántico   amistoso |

9. Dios juzga _ _ _ _ _ los pecados, ya sea aquí en la tierra o después de la muerte física.

10. Dios nos dio un camino para evitar los efectos eternos de la pena de muerte. Lo hizo porque:

    A. Amaba a los que había creado.

    B. Satanás lo demandaba.

    C. Lo merecemos.

11. La Biblia dice que el mismo orgullo que hizo que Satanás se rebelara es la causa por la que nosotros no le pedimos ayuda a Dios. Dios solamente puede ayudarnos a escapar de la muerte cuando

    A. Nos humillamos y deseamos Su ayuda.

    B. Estamos contentos de ser como somos.

    C. Hallamos gozo en nuestra vida.

Para profundizar:

1. Busque y lea los siguientes versículos de la Biblia.

   Salmo 96:10; Salmo 98:9; Salmo 101:1

2. Busque y complete los siguientes versículos:

   ✻ Isaías 61:8   *Porque yo Jehová soy amante del _____, aborrecedor del _____ (o sea robo) para holocausto…*

   ✻ 1 Pedro 5:5b   *Dios resiste a los _____, Y da gracia a los _____.*

2 LA EXPIACIÓN

1. Adán y Eva no pudieron hacer nada, interior o exteriormente, para _____ el problema del pecado y sus consecuencias.

> trasladar   recordar   eliminar   olvidar   culpar

2. La Biblia dice que la consecuencia del pecado es la __ __ __ __ __ __.

3. De Adán y Eva nacieron dos hijos, Caín y Abel. Éstos nacieron sin pecado.

   ❏ Verdadero

   ❏ Falso

4. Dicen las escrituras que *"sin _____ no hay remisión."*

   A. *Un lavado con agua*

   B. *Derramamiento de sangre*

   C. *Derramamiento de lágrimas*

5. Basado en ciertos eventos futuros, Dios dijo que aceptaría que un animal muriera en lugar del hombre. Este hecho se llama:

   A. Alteración.

   B. Cancelación.

   C. Substitución.

6. La muerte de un animal ilustra el cumplimiento de lo que mandaba la _____ de Dios en cuanto al pecado.

   A. Ley

   B. Ira

7. Dios dijo que el derramamiento de sangre expiaría, o sea que __ __ __ __ __ __ __ el pecado del hombre.

8. Por la fe en Dios, confirmada con la decisión de dar muerte al sustituto y derramar su sangre como cubrimiento o expiación en el altar, el hombre

   A. Sería perdonado por sus pecados.

   B. Tendría una buena relación con Dios.

   C. Sería considerado justo.

9. Dios rechazó el sacrificio de Caín porque Caín:

    A. No _ _ _ _ _ _ _ _ en Dios ni en la validez de Sus instrucciones.

    B. No hizo las cosas a la manera de _ _ _ _.

10. La Biblia indica que había algo que no estaba bien en el sacrificio ofrecido por Caín. En su sacrificio, no había derramamiento de: _ _ _ _ _ _.

11. Caín se disgustó bastante con Dios, pero Dios con amabilidad trató de mostrarle a Caín que él también sería aceptado si se acercaba a Dios como lo había hecho _ _ _ _.

12. La Biblia dice que el Cielo es un lugar perfecto donde Dios vive con el hombre sin dolor físico, tristeza, lágrimas, o _ _ _ _ _ _.

13. La Biblia dice que solamente los que tienen sus nombres escritos en el libro de la _ _ _ _ entrarán en el Cielo.

Para profundizar:

Busque y complete los siguientes versículos de la Biblia.

✳ Levítico 17:11 *Porque la vida de la carne en la _____ está, y yo os la he dado para hacer _____ sobre el altar por vuestras almas; y la misma _____ hará _____ de la persona.*

✳ Hebreos 11:4 *Por la _____ Abel ofreció a Dios más excelente _____ que Caín, por lo cual alcanzó testimonio de que era _____, dando Dios testimonio de sus ofrendas; y muerto, aún habla por ella.*

3 De Dos en Dos

1. Cientos y cientos de años pasaron, pero Dios no olvidó Su promesa de enviar al _ _ _ _ _ _ _ _ prometido.

2. La Biblia dice que mientras la población del mundo crecía en forma espectacular, eran más los que confiaban en Dios que los que no confiaban en Él.

    ❑ Verdadero

    ❑ Falso

3. Aunque la gente del tiempo de Noé no obedecía a Dios, Dios no _____ pecado de ellos. Esto lo entristecía.

   A. Pudo hacer nada en cuanto al

   B. Se preocupó del

   C. Toleró el

4. La sociedad de aquellos días estaba preocupada sólo por vivir para

   A. Otros.

   B. Dios.

   C. Sí misma.

5. El hombre se obstinó en tener una filosofía de vida que excluía a Dios, pero Dios hizo al hombre responsable por su pecado.

   ❏ Verdadero

   ❏ Falso

6. ¿En qué se distinguía Noé de la gente de su época?

   A. Era justo.

   B. Seguía la palabra de Dios.

   C. Confiaba en Dios.

7. La Biblia indica que Noé trajo un animal como sacrificio ante Dios, evidencia de que reconocía la necesidad de tener un sustituto inocente que pagara con su __ __ __ __ __ __ la pena que él mismo debía haber pagado.

8. Dios le dijo a Noé que construyera un arca. Aunque era una gran embarcación, tenía solamente una __ __ __ __ __ __.

9. Los vecinos de Noé no le creyeron cuando los previno sobre el diluvio que se acercaba. Cuando llegó el momento, solamente Noé y su familia entraron en el arca. Y Noé cerró la puerta.

   ❏ Verdadero

   ❏ Falso

10. El hombre muchas veces amenaza y luego no cumple, pero Dios siempre cumple su Palabra.

    ❏ Verdadero

    ❏ Falso

11. Solamente un Dios Todopoderoso pudo crear las circunstancias que produjeron este diluvio.

   ❑ Verdadero

   ❑ Falso

12. Lo primero que hizo Noé después de abandonar el arca fue:

   A. Mirar por todos lados para ver si había sobrevivido algún amigo suyo.

   B. Levantar un altar y ofrecer un animal inocente como un sacrificio de sangre a Dios.

   C. Construir una choza.

Para profundizar:

1. Busque y lea los siguientes versículos de la Biblia.

   2 Pedro 3:3-7

2. Usando la concordancia al final de la Biblia, trate de hallar este versículo buscando la palabra *"mandó."*

   Y lo hizo así Noé; hizo conforme a todo lo que Dios le mandó.

3. Usando la Biblia, busque y complete el siguiente versículo:

   ✳ Génesis 6:9   *...Noé, varón _____, era*

   _____ en sus generaciones; con

   _____ _____ Noé.

4 La Torre de Babel

1. Dios estaba de acuerdo con la decisión del hombre de vivir en un solo lugar y construir una gran cuidad.

   ❑ Verdadero

   ❑ Falso

2. El hombre quiso construir una torre que le proporcionara honor y fama a

   A. Dios.

   B. Noé.

   C. Sí mismo.

3. Es bueno exaltarnos a nosotros mismos porque lo merecemos.

   ❏ Verdadero

   ❏ Falso

4. Babel es el primer incidente con relación a una ___ ___ ___ ___ ___ ___ ___ organizada que se registra en la Biblia.

5. Una buena definición de la palabra ___ ___ ___ ___ ___ ___ ___ ___ es ésta: *"el esfuerzo del ser humano por alcanzar a Dios."*

6. Dios dice que el hombre está perdido y no puede encontrar el camino de vuelta a Él por sus propios medios.

   ❏ Verdadero

   ❏ Falso

7. La Biblia enseña que el único camino verdadero a Dios fue provisto por el mismo Señor cuando, en su misericordia, alcanzó al hombre y le brindó la forma de eludir la pena del pecado por medio de la fe. Lo evidencia el sacrificio de

   A. Un animal sustituto.

   B. Sangre.

   C. Expiación o cubrimiento.

8. Dios esparció a las personas por toda la tierra porque se negaron a obedecer los mandamientos del Señor y seguirlo.

   ❏ Verdadero

   ❏ Falso

PARA PROFUNDIZAR:

Busque y compare los siguientes versículos de la Biblia.

GÉNESIS 9:1; GÉNESIS 11:4

Capítulo Seis
Preguntas de Repaso

1   Abraham

2   Creer

3   Isaac

1 ABRAHAM

1. Dios llamó a Abram y le dijo que abandonara su hogar y se fuera a una tierra desconocida. Como Abram no sabía adónde iba, tenía que _____ que Dios lo guiaría día a día.

   A. Tener fe en

   B. Creer

   C. Confiar en

2. Lo primero que Dios le prometió a Abram es que sería una gran nación. Ésta era una buena noticia para Abram

   A. porque ya tenía muchos hijos.

   B. aunque no tenía hijos, Dios tendría que darle uno.

   C. porque sabía que merecía esta bendición.

3. Por medio de estas promesas, Dios le afirmó a Abram que uno de sus descendientes sería el Ungido.

   ❏ Verdadero

   ❏ Falso

4. Tache las respuestas incorrectas.

   Dios dijo que por [*el respeto / la confianza*] que Abram sentía por Él, Dios iba a [*acreditar en / deducir de*] su cuenta para suplir su [*deuda por el pecado / mala suerte*].

5. Cuando Dios miró a Abram, lo vio como _____ porque Abram creyó en Dios y ofreció sacrificios de sangre para redimir y cubrir sus pecados.

   A. alegre y en paz

   B. puro y justo

   C. molesto y perturbado

6. Abram se dio cuenta de que para obtener una justicia igual a la de Dios, lo único que tenía que hacer era confiar en Dios y Él se la daría.

   ❏ Verdadero

   ❏ Falso

Para profundizar:

Busque y complete los siguientes versículos de la Biblia.

✳ Génesis 12:2, 3   Las cuatro promesas dadas a Abram:

   1. Y haré de ti una _____ grande, y te bendeciré,

   2. y _____ tu nombre, y serás bendición.

   3. _____ a los que te bendijeren, y a los que te maldijeren _____;

   4. y serán benditas en ti _____ las familias de la tierra.

✳ Génesis 15:6   Y [Abram] _____ a Jehová, y le fue _____ por _____.

2   CREER

1. Las palabras creencia, __ __, y confianza son con frecuencia usadas indistintamente en la Biblia.

2. La auténtica fe está basada en

   A. la verdad.

   B. los sentimientos.

3. La fe de Abram fue algo más que un acuerdo verbal. Él expuso su vida, arriesgó su reputación, y actuó en fe porque estaba seguro de que Dios podía hacer lo que prometía.

   ❏ Verdadero

   ❏ Falso

4. Relacione lo siguiente con Dios. Tache las palabras incorrectas.

   Lo fundamental no es la [clase / cantidad] de fe que se tenga, sino en [quién / qué] está depositada esa confianza.

5. La obediencia de Abram provenía de su intención de demostrarle a Dios y a otros que su fe era genuina.

   ❏ Verdadero

   ❏ Falso

PARA PROFUNDIZAR:

Busque y complete los siguientes versículos de la Biblia.

✳ HEBREOS 11:6 *Pero sin* _____ *es imposible agradar a Dios;*
porque es necesario que el que se acerca a Dios _____
que le hay, y que es galardonador de los que le buscan.

3 ISAAC

1. Abraham sabía que el Señor era totalmente digno de
   confianza, así que hizo exactamente lo que Dios le
   pidió. Él tenía _____ en que Dios era bueno.

   A. una esperanza vacilante

   B. una fe firme

   C. poca confianza

2. Aunque Isaac era el hijo prometido, Abraham obedeció el
   mandamiento de Dios porque estaba convencido de que
   Dios lo levantaría de entre los muertos.

   ❑ Verdadero

   ❑ Falso

3. Una vez atado en el altar, Isaac no podía salvarse. Estaba

   A. indefenso.

   B. desesperado.

   C. inconsciente.

4. Aunque Dios intervino y le dijo a Abraham que no matara
   a su hijo, alguien debía morir.

   ❑ Verdadero

   ❑ Falso

5. El carnero fue ofrecido como un sacrificio aceptable o perfecto en el lugar de Isaac. El carnero era _____ de Isaac.

   A. un amigo

   B. la mascota

   C. un sustituto

6. Dios quiso comunicar algunas verdades por medio de este sacrificio no solamente a Abraham sino también a nosotros: verdades que tienen que ver con estas ideas:

    A. Podía apaciguarse a Dios mediante el sacrificio de los infantes.

    B. Éste era un Dios furioso .

    C. El juicio, la fe, y la liberación a través de un sustituto.

7. Complete las frases de la izquierda con las frases de la derecha

___ A. Como Isaac estaba sometido a la orden directa de Dios de ser *sacrificado,*

___ B. Dios en verdad *intervino.*

___ C. Un *animal* inocente murió

___ D. Así como Abel ofreció un animal en sacrificio para que muriera en *su lugar,*

___ E. Así como Dios había calificado el sacrificio de Abel como *aceptable,*

1. Dios proveyó un *sustituto.*

2. de la misma manera Dios consideró que era apropiado proveer un carnero como sacrificio en lugar de Isaac.

3. de la misma manera toda la humanidad está bajo sentencia de *muerte.*

4. así el carnero murió en *lugar de Isaac.*

5. en lugar del *hombre.*

8. La provisión de un sustituto fue idea del hombre.

    ❑ Verdadero

    ❑ Falso

9. Esta historia es una ilustración gráfica de dos personas que se acercaron a Dios por el modo provisto e indicado por Dios y creyendo que su Palabra es verdad.

    ❑ Verdadero

    ❑ Falso

Para profundizar:

Busque y complete los siguientes versículos de la Biblia.

✳ Hebreos 11:17,19   *Por la* _____ *Abraham, cuando fue probado,* _____ *a Isaac; y el que había recibido las* _____ *ofrecía su unigénito…*

Pensando que Dios es poderoso para _____ *aun de entre los muertos, de donde, en sentido figurado, también le volvió a* _____*.*

Capítulo Siete
Preguntas de Repaso

1 Israel y Judá

2 Moisés

3 Faraón y la Pascua

1   Israel y Judá

1. Isaac tuvo dos hijos: Esaú y Jacob. Esaú era como Caín; vivía su vida de acuerdo a sus propias ideas. Por otro lado, Jacob confiaba en Dios _____ y por eso el Señor lo consideró como justo.

   A. ofreciéndole sacrificios de sangre para la expiación de sus pecados

   B. orando diariamente

   C. siendo bueno y trabajador

2. Por medio de Jacob, Dios renovó la promesa que les había hecho a Abraham e Isaac. Dijo que de uno de los descendientes de Jacob vendría el __ __ __ __ __ __ __ prometido.

3. Jacob tuvo trece hijos e hijas de los cuales descienden las trece tribus que formaban el pueblo de Israel.

   ❑ Verdadero

   ❑ Falso

4. Antes de morir, Jacob le anunció a su hijo Judá que la llegada del *Salvador* al mundo sería a través de su tribu.

   ❑ Verdadero

   ❑ Falso

5. Se cambió el nombre de Jacob a Israel, que significa "Dios prevalece." La nación de Israel, que desciende directamente de Jacob, tomó su nombre.

   ❑ Verdadero

   ❑ Falso

6. La tierra padeció una gran hambruna que obligó a Jacob, sus hijos y sus familias a mudarse a Egipto. Después de trescientos cincuenta años, se estima que ya eran alrededor de

   A. 2.500 personas.

   B. 250.000 personas.

   C. dos millones y medio de personas.

Para profundizar:

Busque y complete los siguientes versículos de la Biblia.

✳ Génesis 28:15   *He aquí, yo estoy contigo, y te guardaré por dondequiera que fueres, y _____ ___ _____ a esta _____; porque no te _____ hasta que haya hecho lo que te he _____.*

2 Moisés

1. El rey de Egipto hizo esclavos a los israelitas porque

     A. querían tomar control del país.

     B. necesitaba más trabajadores.

     C. su número creció en demasía y el rey temía que se volvieran contra Egipto.

2. Cuarenta años después que Moisés hubiera huido de Egipto por matar a un egipcio, Dios le habló por medio de una zarza ardiente. Cuando Moisés se acercó a la zarza, Dios le mandó quitarse los zapatos porque pisaba tierra santa.

     ❑ Verdad

     ❑ Falso

3. ¿Qué le dijo Dios a Moisés por medio de la zarza?

     A. Moisés sería juzgado por haber matado a un egipcio.

     B. Moisés sacaría a los israelitas de Egipto.

     C. Moisés era un hombre de talento y Dios lo necesitaba.

4. ¿Qué nombre (que significa el que existe por sí mismo) le dijo Dios a Moisés que usara con los israelitas?

     A. Dios Todopoderoso

     B. El Altísimo

     C. YO SOY

5. Los israelitas no le creyeron a Moisés, tal como Dios se lo había anticipado.

     ❑ Verdadero

     ❑ Falso

Para profundizar:

Usando la concordancia que se encuentra al final de la Biblia, busque el siguiente versículo partiendo de la palabra *"nombre."*

> ✳ *Y respondió Dios a Moisés: YO SOY EL QUE SOY. Y dijo: Así dirás a los hijos de Israel: YO SOY me envió a vosotros.*
>
> *…Este es mi nombre para siempre; con Él se me recordará por todos los siglos.*

3 Faraón y la Pascua

1. El faraón ignoró la orden de Dios de dejar libres a los israelitas porque:

   A. no reconoció al verdadero Dios y se oponía a todo lo que le exigiera hacer.

   B. no comprendía lo que decía Moisés y estaba un poco confundido.

   C. estaba tan ocupado gobernando su país que no le quedaba tiempo para nada más.

2. Cuando Dios les dijo a los israelitas que serían su pueblo, quiso decir que Él aceptaría solamente al pueblo de Israel.

   ❏ Verdadero

   ❏ Falso

3. Dios les enseñó tanto a los israelitas como a los egipcios que:

   A. Él libera a los que confían en Él.

   B. sólo Él es Dios.

   C. sólo los israelitas podían escapar del castigo de Dios.

4. El faraón se negó a reconocer a Dios y obedecerle, a partir de ahí Dios les mandó diez plagas, apuntando cada vez a uno de los dioses egipcios.

   ❏ Verdadero

   ❏ Falso

5. Dios extiende su gracia y misericordia a los que se acercan a Él de la _ _ _ _ _ _ ordenada por Dios.

6. Como Dios es un Dios de gracia tiende a sobrepasar el pecado, era posible pasar por alto algunos de los mandamientos relacionados con la Pascua, en tanto que esto se hiciera con buenas intenciones.

   ❏ Verdadero

   ❏ Falso

7. Si un egipcio seguía las instrucciones de Dios en cuanto a la Pascua, creyendo por su fe que Él era el único Dios, el ángel de la muerte pasaría por encima de su casa sin hacerle ningún daño.

   ❏ Verdadero

   ❏ Falso

8. El primogénito se salvó solamente en las casas donde había muerto un cordero. El cordero fue el sustituto del primogénito.

   ❏ Verdadero

   ❏ Falso

9. Una las frases de la izquierda con las de la derecha que tengan que ver con el concepto de sustitución.

   ___ A. Dios había aceptado a Abel

   ___ B. Cuando Abraham ofreció a su hijo como sacrificio,

   ___ C. Con el evento de la Pascua,

   1. el carnero murió en lugar de Isaac.

   2. el cordero debía morir en lugar de cada primogénito.

   3. porque había muerto un animal en su lugar.

Para profundizar:

La última plaga fue la muerte del primogénito. Sin embargo, Dios brindó una manera de escapar. Usando la Biblia, busque las siguientes órdenes dadas por Dios a los israelitas, y complete las siguientes oraciones.

✳ Éxodo 12: 3   ...*tómese cada uno un* _____ *según las familias de los padres, un* _____ *por familia.*

✶ ÉXODO *12:5-7*   *El animal será sin* _____, _____ *de un año; lo tomaréis de las ovejas o de las cabras. Y lo guardaréis hasta el día catorce de este mes, y lo* _____ *toda la congregación del pueblo de Israel entre las dos* _____. *Y tomarán de la* _____, *y la pondrán en los dos* _____ *y en el* _____ *de las casas en que lo han de comer.*

✶ ÉXODO 12:22   *…y ninguno de vosotros* _____ *de las puertas de su casa hasta la* _____.

✶ ÉXODO 12:46   *Se comerá en una casa, y no llevarás de aquella carne fuera de ella, ni* _____ _____ *suyo.*

✶ ÉXODO 12:13   *Y la sangre os será por señal en las casas donde vosotros estéis; y veré la* _____ *y* _____ *de vosotros, y no habrá en vosotros plaga de mortandad…*

Capítulo Ocho
Preguntas de Repaso

1 Pan, Codorniz y Agua

2 Los Diez Mandamientos

3 La Sala del Tribunal

1 PAN, CODORNIZ Y AGUA

1. Los israelitas estaban contentos de ser guiados por Dios.
   - ❏ Verdadero
   - ❏ Falso

2. Dios satisfizo sus necesidades dándoles

   A. pan.   C. ropa nueva.

   B. carne.   D. agua.

3. A través de Moisés Dios ordenó que el pueblo tomara sólo la cantidad de pan que pudiera comer en un día. Habría más el próximo día. Dios les quería enseñar que su palabra

   A. era digna de confianza cuando todo iba bien.

   B. era siempre verdad y digna de confianza.

   C. era algo importante que debían considerar.

4. Los israelitas obedecieron a Moisés y sólo tomaron suficiente pan para un día.
   - ❏ Verdadero
   - ❏ Falso

5. Si se piensa en la numerosa población de Israel, las provisiones que Dios había hecho eran apenas suficientes.
   - ❏ Verdadero
   - ❏ Falso

6. Marque todas las palabras que pueden completar esta frase.

   Dios les quería mostrar a los israelitas que Él era _____ y que su palabra debía ser _____.

   > misericordioso/a   indulgente   despreciado/a
   > digno/a de confianza   bondadoso/a   inquieto/a
   > ignorado   amable   obedecido/a

7. El hombre no merece ni el amor ni la preocupación del Señor, pero el Señor satisface sus necesidades a pesar de su pecado. Este amor inmerecido se llama gracia.
   - ❏ Verdadero
   - ❏ Falso

Para profundizar:

1. Busque y complete el siguiente versículo de la Biblia.

   ❉ Éxodo 34:6   *Y pasando Jehová por delante de él, proclamó: ¡Jehová! ¡Jehová! _____, _____ _____ y _____; _____ para la ira, y grande en _____ y verdad…*

   ❉ Nehemías 9:19 *… tú, con todo, por tus _____ _____ misericordias no los _____ en el desierto.*

2. Busque y lea los siguientes versículos:

   Isaías 30:18; Salmo 78:38

2   Los Diez Mandamientos

1. La única condición que los israelitas debían cumplir para ser el pueblo elegido de Dios era

   "si me _ _ _ _ _ _ _ _ absolutamente, entonces…"

2. La respuesta del pueblo a la propuesta de Dios mostró que comprendían su propia incapacidad de cumplir condición alguna.

   ❑ Verdadero

   ❑ Falso

3. El Señor mandó que los israelitas se lavaran con agua para mostrar que se requiere_____ para estar delante del Señor.

limpieza o pureza	limpieza física	higiene

4. Dios le ordenó a Moisés poner un borde alrededor del monte para que

   A. nadie se cayera de los acantilados.

   B. los israelitas supieran donde vive Dios.

   C. los israelitas vieran la separación que existe entre Dios y el hombre a causa del pecado.

5. Dios les dijo a los israelitas que si había algo más importante para ellos que Él, ya habían quebrantado el primer mandamiento.

   ❏ Verdadero

   ❏ Falso

6. La Biblia dice que Dios no quiso que nadie se inclinara frente a ídolos ni otros dioses porque:

   A. nadie sabe cómo es Dios.

   B. solamente el verdadero Dios es digno de adoración.

   C. ningún ídolo se parece a Dios.

7. Por ser el Dios soberano que es, ni su nombre debe ser usado a la ligera.

   ❏ Verdadero

   ❏ Falso

8. La quinta regla instruye a los niños a que _____ sus padres.

   | adoren a | honren a | oren por | eduquen a |

9. La Biblia compara algunas clases de ira con

   | un homicidio | un berrinche | la falta de respeto |

10. Dios conoce nuestras acciones externas pero también sabe lo que pasa en:

    A. nuestro corazón.

    B. nuestra mente.

    C. nuestra imaginación.

11. Quien sea mentiroso o deshonesto es un seguidor de los métodos de Satanás porque Satanás es el padre de la

    __ __ __ __ __ __.

12. Dios mandó que los israelitas no fueran ni envidiosos, ni codiciosos ni celosos. Quebrantar este mandamiento es una forma de orgullo.

    ❏ Verdadero

    ❏ Falso

13. Cuando Dios dice algo, generalmente se puede estar seguro de que es verdad.

    ❑ Verdadero

    ❑ Falso

14. Con el paso del tiempo, lo que Dios ha esperado de la humanidad, en cuanto a la Ley, ha cambiado bastante.

    ❑ Verdadero

    ❑ Falso

15. Los diez mandamientos le mostraron al hombre claramente lo que el Señor consideraba pecado.

    ❑ Verdadero

    ❑ Falso

PARA PROFUNDIZAR:

1. Busque y complete el siguiente versículo de la Biblia.

    ✳ ISAÍAS 64:6 *Si bien _____ nosotros somos como _____, y todas nuestras _____ como trapo de _____; y caímos todos nosotros como la hoja, y nuestras _____ nos llevaron como viento.*

2. Busque ÉXODO 20. Subraye los mandamientos del uno al diez.

3. Busque y lea los siguientes versículos:

    EZEQUIEL 36:23; SALMO 29:2

3   LA SALA DEL TRIBUNAL

1. La Biblia dice que, para ser aceptados por Dios, debemos guardar íntegramente ¿cuántos de los diez mandamientos?

    A. Cuatro, total y perfectamente.

    B. Los primeros ocho (los últimos dos quedan a nuestra discreción).

    C. Todos.

2. Dios nos hace responsables de todo pecado, aun de aquellos que no somos conscientes de haber cometido.

   ❑ Verdadero

   ❑ Falso

3. El hombre es capaz de guardar los diez mandamientos sin quebrantarlos nunca.

   ❑ Verdadero

   ❑ Falso

4. Los diez mandamientos tienen dos objetivos. Marque las respuestas correctas.

   A. Cerrarle la boca a aquellos que dicen tener vidas lo suficientemente buenas como para ser aceptados por Dios.

   B. Mostrar la culpabilidad de cada uno de nosotros.

   C. Explicarnos la ley de Él para que la cumplamos y seamos agradables a Dios.

5. Como el espejo expone claramente la suciedad, así los diez mandamientos hacen que nuestro _ _ _ _ _ _ quede en evidencia.

6. Dios dio la Ley *"a fin de que por el mandamiento el pecado llegase a ser _____ pecaminoso."*

   A. *bastante*

   B. *sobremanera*

   C. *un poco*

7. La Biblia dice que el hombre es pecaminoso desde

   A. que lo concibe la madre.

   B. que la sociedad influye sobre él.

   C. que tiene dos años.

8. Dios mandó a los israelitas ser santos. Ser santo tiene que ver con el carácter _____ de Dios.

   A. frío

   B. crítico

   C. perfecto

9. La noción de que las cosas buenas que haga una persona pueden pesar más que las malas, y que uno puede ganar la aceptación de Dios por méritos propios, es totalmente ajena a la Biblia.

❑ Verdadero

❑ Falso

Para profundizar:

Busque y complete el siguiente versículo de la Biblia.

✽ Salmo 14:3 _____ se desviaron, a una se han corrompido; _____ hay quien haga lo bueno, no hay ni siquiera _____.

✽ Romanos 3:19,20 *Pero sabemos que todo lo que la _____ dice, lo dice a los que están bajo la ley, para que _____ boca se _____ y _____ el mundo quede bajo el _____ de Dios; ya que por las obras de la ley _____ ser humano será _____ delante de él; porque por medio de la ley es el _____ del pecado.*

Capítulo Nueve
Preguntas de Repaso

1 El Tabernáculo

2 Incredulidad

3 Jueces, Reyes y Profetas

1 EL TABERNÁCULO

1. La Biblia dice que el primer paso para acercarnos a Dios es darnos cuenta de que somos pecadores

   | frustrados   sin esperanza   con esperanza   capaces |

2. Cuando los israelitas construyeron el Tabernáculo, Dios les dijo que lo podían hacer a su gusto.

   ❑ Verdadero

   ❑ Falso

3. El acceso al Tabernáculo era una sola puerta.

   ❑ Verdadero

   ❑ Falso

4. El santuario estaba dividido en dos partes: el Lugar Santo y el Lugar Santísimo. Estos dos cuartos estaban separados por

   A. una puerta grande.

   B. una caja de oro.

   C. una cortina pesada que se llamaba el velo.

5. Escriba *LSS* al lado de los muebles que se hallaban en el Lugar Santísimo, *LS* al lado para identificar los muebles del Lugar Santo, y *P* al lado de los muebles del patio.

   A. _____El altar de bronce

   B. _____El arca del pacto

   C. _____La fuente de bronce

   D. _____El candelabro de oro

   E. _____La mesa con el pan

   F. _____El propiciatorio

   G. _____El altar del incienso

6. Una vez que el Tabernáculo estuvo completo, la nube que había guiado a los israelitas se movió para situarse sobre el Lugar Santísimo. Esto significaba que la presencia de Dios permanecería en medio de su pueblo.

   ❑ Verdadero

   ❑ Falso

7. Después de que se entraba por la puerta única, el primer paso para acercarse a Dios era ofrecer un sacrificio en el altar de bronce.

   ❑ Verdadero

   ❑ Falso

8. Según Levítico 1:2-5, el sacrificio tenía que:

   A. ser de ganado vacuno u ovino.

   B. ser un macho sin defecto.

   C. ser presentado a la puerta del tabernáculo.

   D. hacerse de modo que el que traía la oferta tuviera la mano sobre la cabeza del animal.

   E. ser hecho por quien traía el animal.

9. Al poner su mano sobre el el animal sacrificado, el que traía la ofrenda:

   A. mostraba compasión por el animal.

   B. mostraba su tristeza.

   C. se identificaba a sí mismo con el sacrificio.

10. Cuando el traía las ofrendas ponía la ____ sobre la _____ del animal ofrecido, reconocía que era su pecado lo que

mano	bendición	pierna	cabeza
	sustituto	defensor	

    causaba la muerte, y que el animal era su _____.

11. Al ser la muerte el pago por el pecado, debemos comprender que el sacrificio era la imagen de

    A. …lo que era necesario hacer para que el pecado fuera perdonado.

    B. …la necesidad de Dios de recibir un sacrificio de sangre.

C. ...el pago que recibe Satanás.

12. Aarón, el Sumo Sacerdote, entraba en el Lugar Santísimo una vez al año, nunca sin [*sangre / agua*], la cual ofrecía en el [*altar de bronce / propiciatorio*]. Esto se hacía el día de la expiación.

Para profundizar:

1. Busque y lea los siguientes versículos:

   Éxodo 40:17-38; Salmo 85:2; Salmo 99:1-3

2. Busque y complete el siguiente versículo.

   ✷ Levítico 17:11 *Porque la _____ de la carne en la _____ está, y yo os la he dado para hacer _____ sobre el altar por vuestras _____; y la misma _____ hará _____ de la _____.*

2 Incredulidad

1. A medida que los israelitas conocían mejor a Dios, se vol-

   > dignos   responsables   estimados

   vieron más_____ por lo que sabían.

2. Desde el momento en que construyeron el Tabernáculo hasta el final del viaje, los israelitas estuvieron contentos, dando siempre gracias a Dios por sus provisiones.

   ❑ Verdadero

   ❑ Falso

3. Dios a veces aplaza el juicio del pecado por un tiempo, pero en el fin todo pecado será juzgado.

   ❑ Verdadero

   ❑ Falso

4. Dios castigó a los israelitas mandando

   A. granizo.

   B. serpientes.

   C. el retorno a la esclavitud en Egipto.

5. La Biblia dice que el pecado nos conducirá a la

   __ __ __ __ __ __.

6. El propósito de Dios al juzgar es causar un cambio de
   actitud; o sea, un cambio en la manera de pensar. En la
   Biblia, se describe este cambio con la palabra

   __ __ __ __ __ __ __ __ __ __ __ __ __ __ __ __.

7. Una persona puede arrepentirse y ser escuchada por Dios
   solamente durante su vida en la tierra.

   ❑ Verdadero

   ❑ Falso

8. Cuando un israelita era mordido por una serpiente, todo
   lo que necesitaba para ser curado era darse vuelta y mirar

   _____

   A. a Moisés

   B. a la serpiente de bronce

   C. donde lo había mordido la serpiente

9. La acción de mirar era un truco mental.

   ❑ Verdadero

   ❑ Falso

Para profundizar:

Busque y lea los siguientes versículos:

   Nehemías 9:19-21;   2 Reyes 18:1-6

3 Jueces, Reyes y Profetas

El siguiente gráfico representa la relación de los israelitas con
Dios durante el tiempo de los jueces. Numere las cuatro palabras
en el orden que mejor ilustra la historia de los israelitas.

___ Esclavizados

___ Arrepentidos

___ Rebeldes

___ Rescatados

❷ ❸

❶ ❹

Complete el crucigrama usando las siguientes preguntas. Tómese la libertad de buscar las respuestas en el capítulo nueve.

HORIZONTALES

1. El general, Alejandro el _____, trajo consigo la influencia del lenguaje y la cultura griega.

2. Después de la división del reino, las diez tribus del norte mantuvieron el nombre _____.

3. El rey _____ cumplió la tarea que su padre había soñado.

4. Los _____, bajo la influencia de los griegos, descartaron parte de la Palabra de Dios.

5. Algunos judíos que eran religiosos fanáticos crearon un "conjunto de leyes protectoras" alrededor de la _____ de Dios, para que ninguna de las leyes verdaderas pudiera ser quebrantada.

6. Como las otras naciones tenían _____ por líderes, Israel rechazó a Dios y demandó tener algo semejante.

7. Cuando Moisés murió, fue reemplazado por _____.

8. La tierra de Canaán fue dividida entre las doce _____.

9. Los romanos nombraron a _____ ____ _____ como rey títere. Él era increíblemente cruel.

10. El Templo fue construido en Jerusalén, en el monte Moriah, probablemente en el mismo lugar donde Abraham se preparó para ofrecer a _____.

11. Mientras estaban en el exilio, la gente comenzó a llamar a los de la tribu de Judá _____.

12. Aunque estos reyes eran considerados líderes espirituales, la Biblia afirma que eran pecadores necesitados y que no se podían _____ a si mismos.

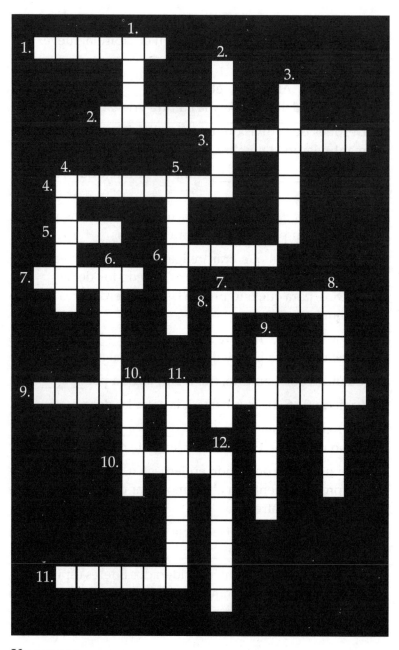

VERTICALES

1. Antes de que los israelitas tuvieran un rey humano, su líder era ____.

2. Los _____ profetas inspirados por Satanás perturbaban la escena espiritual.

3. Cuando la gente se apartaba de Dios, Él mandaba a un _____ como advertencia del juicio venidero.

4. El rey David escribió canciones que ahora se encuentran en el libro de los _____. (Esta respuesta no se encuentra en el texto.)

5. Se llamaba _____ a quien copiaba la Palabra de Dios.

6. Dios le prometió a David que el _____ sería uno de sus descendientes.

7. Salomón construyó un _____ que reemplazó el tabernáculo.

8. El rey Salomón es conocido por su gran _____.

9. Unos líderes judíos famosos por guardar la Ley estrictamente eran llamados _____.

10. Un rey muy conocido de Israel fue _____.

11. Al no estar disponible el Templo como centro de adoración, los judíos introdujeron las _____.

12. Dios permitió que los israelitas fueran tomados _____ porque ellos Lo rechazaron.

Para profundizar:

Busque y lea los siguientes versículos:

Isaías 29:13; Salmo 139; Proverbios 1:1-7

Capítulo Diez
Preguntas de Repaso

1 Elisabet, María y Juan

2 Jesús

3 Entre los Maestros de la Ley

4 Bautismo

1 Elisabet, María y Juan

1. Los israelitas habían esperado la llegada del Ungido por mucho tiempo. En el siguiente versículo, vemos que Dios hace referencia a su venida a la tierra y a su mensajero Juan preparándole el camino. Determine a cuál de estas personas corresponden las palabras marcadas en el siguiente texto.

   | Dios | | Juan | | Los israelitas |

   He aquí, (yo) envío (mi) (mensajero,) el cual preparará el camino delante de (mí;) y vendrá súbitamente a (su) templo el (Señor) a quien (vosotros) buscáis, y el ángel del pacto, a quien deseáis (vosotros) He aquí viene, ha dicho (Jehová de los ejércitos.) Malaquías 3:1

2. La Biblia dice que el Ungido sería descendiente del rey David. El profeta Jeremías había dicho unos 600 años antes que …

   "He aquí que vienen días, dice Jehová, en que levantaré a David renuevo justo, y reinará como Rey … y este será su nombre con el cual le llamarán: Jehová, justicia nuestra. Jeremías 23:5,6

   Pero como María y José no eran descendientes directos de David, esta profecía no se podía aplicar a su hijo.

   ❑ Verdadero

   ❑ Falso

3. El bebé se llamaba Hijo de Dios.

   ❑ Verdadero

   ❑ Falso

4. Como Jesús no tenía padre humano, no había heredado la naturaleza pecaminosa de Adán. Más bien, al ser Hijo de Dios, tenía la naturaleza del Dios Altísimo. Por tanto era perfecto.

   ❑ Verdadero

   ❑ Falso

5. Juan sería el mensajero encargado de anunciar la llegada del Salvador prometido para la bendición del mundo entero.

☐ Verdadero

☐ Falso

Para profundizar:

En Lucas 1:46-55, vemos a María alabando al Señor y llamándolo *"mi Salvador."* María dijo esto porque como pecadora reconocía que necesitaba un Salvador. Lea estos versículos.

2 Jesús

1. El ángel le dijo a María que tendría un hijo y que su nombre sería _ _ _ _ _, que significa *el Salvador o el Libertador*.

2. Así como Dios tiene nombres que representan su carácter, así también el Salvador prometido tenía nombres que se referían a Su carácter. Una cada nombre con su significado.

   ___ A. Jesús   1. *Dios con nosotros*

   ___ B. Emmanuel   2. *la palabra griega para Mesías*

   ___ C. Cristo   3. *el Salvador o el Libertador*

   ___ D. Mesías   4. *el Ungido*

3. ¿Por qué tuvieron que ir a Belén José y María?

   A. Tenían allí familiares que querían ver al bebé.

   B. César hacía un censo que requería que todos fueran a su ciudad natal.

   C. Los líderes del pueblo de Nazaret querían matar a Jesús.

4. Jesús nació en Belén. El pueblo estaba tan lleno de gente que el único lugar donde pudieron encontrar alojamiento fue

   A. un establo.

   B. el campo donde estaban los pastores.

   C. una sinagoga.

5. Los primeros invitados al nacimiento de Jesús fueron

   A. sabios maestros de la ley.

   B. magos.

   C. pastores.

6. ¿Por qué se turbó Herodes cuando lo visitaron los magos? Los reyes _____

   A. eran enemigos de Herodes.

   B. buscaban un rey recién nacido que era una amenaza a su autoridad.

   C. lo habían insultado.

7. Los profetas Miqueas e Isaías, habían escrito detalles específicos sobre el nacimiento de Jesús 700 años antes del suceso.

   ❏ Verdadero

   ❏ Falso

8. ¿Qué fue lo primero que hicieron los magos al ver a Jesús?

   A. Se inclinaron y lo adoraron.

   B. Preguntaron si era Jesús el rey que buscaban.

   C. Le dieron regalos de oro, incienso y mirra.

Para profundizar:

1. Busque y compare las siguientes profecías y su cumplimiento:

   Isaías 7:14; 9:6-7 ⟶ Mateo 1:22,23

   Miqueas 5:2 ⟶ Mateo 2:3-6

2. Si su Biblia tiene mapas al final, busque lo siguiente:

   Nazaret, Belén, el Río Jordán, el Mar de Galilea

3 Entre los Maestros de la Ley

1. Aunque Jesús era Dios mismo, escogió unirse a la raza humana como un _____.

   | extraterrestre | ser humano | robot |

2. A los doce años, Jesús fue a Jerusalén para celebrar la fiesta de Pascua.

   ❏ Verdadero

   ❏ Falso

3. Después de tres días de estar buscándolo, María y José encontraron a Jesús

   A. en el mercado haciendo compras.

   B. perdido en la calle.

   C. en el templo, conversando con hombres sabios.

4. Dios vino a la tierra personalmente para explicarnos cómo podríamos ser salvos de la muerte eterna.

   ❏ Verdadero

   ❏ Falso

Para profundizar:

Usando la concordancia al final de la Biblia, encuentre el siguiente versículo buscando la palabra *"carne:"*

*Y aquel Verbo fue hecho **carne**, y habitó entre nosotros.*

4 Bautismo

1. El acto del bautismo implica

pureza	identificación	lavado	redención

2. Arrepentirse es cambiar nuestra forma de pensar.

   ❏ Verdadero

   ❏ Falso

3. A Juan el Bautista no le parecía necesario bautizar ni a los fariseos ni a los saduceos porque ya eran muy religiosos.

   ❏ Verdadero

   ❏ Falso

4. Jesús le pidió a Juan que lo bautizara porque

    A. quería mostrarle a Juan que se había arrepentido.

    B. quería afirmar que el mensaje de Juan era cierto.

    C. vio que toda la gente lo hacía.

5. Cuando Juan vio que Jesús venía a él dijo: *"He aquí el*
_ _ _ _ _ _ _ *de Dios, que quita el pecado del mundo."*

6. Por el bautismo, se lavan los pecados y somos aceptables delante de Dios.

    ❏ Verdadero

    ❏ Falso

7. La Biblia dice que Dios es una tri-uni-dad o trinidad—el Padre, el Hijo y el Espíritu Santo—pero solamente un Dios. Usando las palabras *ES* y *NO ES*, complete este gráfico, que nos ayudará a entender el concepto de la Trinidad.

PARA PROFUNDIZAR:

Busque y lea los siguientes versículos: MATEO 3:13-17

Capítulo Once
Preguntas de Repaso

1 Tentado

2 Poder y Fama

3 Nicodemo

4 Rechazo

5 El Pan de Vida

1 TENTADO

1. Jesús estuvo cuarenta días _____ sin comida.

   A. en el desierto

   B. en una embarcación

   C. en prisión

2. Aunque Jesús era Dios, era a la vez un hombre real, con necesidades físicas normales.

   ❏ Verdadero

   ❏ Falso

3. Satanás tentó a Jesús al sugerirle convertir las piedras en pan. Si Jesús lo hubiera hecho, habría obedecido las órdenes de Satanás y habría seguido al Diablo.

   ❏ Verdadero

   ❏ Falso

4. Cristo le respondió a Satanás citando

   A. una historia que había oído.

   B. la Biblia.

   C. la palabra de su padre, José.

5. Jesús respondió el desafío de Satanás diciendo que era más importante satisfacer las necesidades físicas que ocuparse del estado espiritual.

   ❏ Verdadero

   ❏ Falso

6. La religión atrae mucho a Satanás, y citar la Biblia es uno de sus trucos favoritos. El diablo citó la Biblia correctamente cuando tentaba a Jesús.

   ❏ Verdadero

   ❏ Falso

7. Si Jesús adoraba a Satanás, entonces también le serviría.

   ❏ Verdadero

   ❏ Falso

8. Satanás tuvo éxito en su intento de atrapar a Jesús en su telaraña de engaño.

   ❑ Verdadero

   ❑ Falso

9. La lucha entre el bien y el mal está equilibrada. Jesús es tan poderoso como Satanás.

   ❑ Verdadero

   ❑ Falso

10. Aquéllos que convivieron de forma más estrecha con Jesús y, obviamente, tenían más posibilidades de encontrar algún fallo en su carácter, escribieron que Él nunca hizo

    __ __ __ __ __ __.

Para profundizar:

Busque y complete el siguiente versículo:

✳ Marcos 8:36   *Porque ¿qué aprovechará al hombre si* _____ *todo el* _____, *y* _____ *su* _____?

2 Poder y Fama

1. El arrepentimiento es algo que ocurre interiormente, y era en el corazón donde Cristo intentaba establecer su reinado primeramente.

   ❑ Verdadero

   ❑ Falso

2. Jesús habló con autoridad, pero no podía demostrar lo que decía porque no era más que un hombre.

   ❑ Verdadero

   ❑ Falso

3. Jesús sanó a muchos hombres y mujeres de sus defectos físicos y enfermedades porque

   A. sintió compasión por ellos.

   B. así establecía que Él y su mensaje provenían del Cielo.

   C. era poderoso.

   D. quería ganar popularidad y poder entre la gente.

PARA PROFUNDIZAR:

Según la cultura de aquellos días, un leproso tenía que gritar *"inmundo"* cuando alguien se acercaba. Se pensaba que si el leproso estaba en contra del viento, era posible acercársele hasta dos metros (seis pies) de distancia, pero si venía en la dirección del viento, ni siquiera una distancia de sesenta metros (130 pies) era segura. La posibilidad de tener contacto físico con un leproso era no solamente repulsiva, sino también inconcebible.

Sin embargo, dice la Biblia que Jesús extendió la mano y tocó al leproso deliberadamente (Marcos 1:40-45). No era necesario tocarlo. Jesús había sanado a mucha gente desde lejos. Imagínese qué significado tendría esa acción para la multitud que lo vio y para el leproso. ¡Jesús había tocado a un leproso! El evento debe haber sido asombroso. No sólo era esa acción inaceptable culturalmente, sino que, según la Ley, si alguien tenía contacto físico con un leproso, era considerado inmundo para las ceremonias. Pero no fue así con Jesús, sino que sucedió lo opuesto. Cuando Jesús lo tocó, el leproso se limpió. Ese toque fue deliberado. Era el toque de Dios.

3 Nicodemo

1. ¿Cuál de las siguientes ideas es verdadera en cuanto a Nicodemo?

   A. Era miembro del Sanedrín.

   B. Era fariseo.

   C. Era judío.

   D. Era un hombre de alta posición social.

2. Cuando Jesús le dijo a Nicodemo que tenía que nacer de nuevo, hablaba de un nacimiento místico y milagroso, como si volviera a ser bebé.

   ❏ Verdadero

   ❏ Falso

3. La Biblia dice que Jesús le dijo a Nicodemo que si hacía descansar su fe totalmente en Él, le daría vida __ __ __ __ __ __.

4. El significado bíblico de la palabra "creer" puede ser entendido como

   A. un simple acuerdo intelectual.

   B. el acto de adquirir sabiduría.

   C. un sinónimo de fe y confianza.

   D. el acto de ilustrarse abstracta y místicamente.

5. [*La cantidad / El objeto*] de la fe es lo importante.

6. Jesús le prometía vida eterna solamente a Nicodemo.

   ❏ Verdadero

   ❏ Falso

7. La Biblia dice que mientras el hombre no ponga su fe en Jesús, está condenado y sentenciado al Lago de Fuego por toda la eternidad.

   ❏ Verdadero

   ❏ Falso

8. _____ es la luz del mundo, que da luz y vida a los que están en las tinieblas del pecado.

PARA PROFUNDIZAR:

1. Busque y complete los siguientes versículos:

   ❋ JUAN 3:16-18 *Porque de tal manera _____ Dios al mundo, que ha dado a su Hijo unigénito, para que todo aquel que en él _____, no se _____, mas tenga _____ eterna. Porque no envió Dios a su Hijo al mundo para _____ al mundo, sino para que el mundo sea _____ por él. El que en él _____, no es _____; pero el que _____ cree, ya ha sido condenado, porque no ha _____ en el nombre del _____ Hijo de Dios.*

2. Busque y lea los siguientes versículos:

   JUAN 8:12; JUAN 5:24

4 RECHAZO

1. Cuando los cuatro hombres no pudieron acercarse a Jesús por la gran multitud de gente que había, decidieron bajar al paralítico por el techo.

   ❑ Verdadero
   ❑ Falso

2. La Biblia dice: *Al ver Jesús _____ de ellos, le dijo al paralítico: Hijo, tus pecados te son perdonados.*

   | la energía la fe el trabajo el amor |

3. Dios les mostró a los escribas que era Dios cuando

   A. perdonó los pecados.
   B. conoció sus pensamientos.
   C. sanó al paralítico.

4. Aunque Leví era judío, sus paisanos lo odiaban porque trabajaba como cobrador de impuestos para los romanos.

   ❑ Verdadero
   ❑ Falso

5. Jesús solamente podía ayudar a aquéllos que reconocían su propio(a)

> incapacidad de ayudarse a sí mismos
> patrimonio   pecaminosidad   valor

6. Los líderes religiosos no aceptaron a Jesús como el Mesías porque no querían perder su poder y prestigio con la gente.

   ❏ Verdadero

   ❏ Falso

7. ¿Cuántos discípulos seleccionó Jesús?

   A. Once

   B. Doce

   C. Tres

8. Todos los discípulos eran líderes religiosos y educados.

   ❏ Verdadero

   ❏ Falso

Para estudio más profundo:

Busque y lea el siguiente versículo: Mateo 22:15-22

5   El Pan de Vida

1. Jesús estaba angustiado porque no sabía cómo Él y sus discípulos iban a alimentar tal multitud.

   ❏ Verdadero

   ❏ Falso

2. Jesús convirtió la comida de un muchacho, que consistía de cinco panes y dos pescaditos, en comida suficiente para

   A. cinco mil hombres, mujeres e hijos.

   B. tres mil hombres.

   C. cinco mil hombres, más las mujeres y los hijos.

3. Los beneficiarios de este milagro querían que Jesús fuese su _____.

> Dios   sumo sacerdote   rey

4. Jesús le dijo a la multitud que debían trabajar por las cosas que tienen valor eterno.

    ❑ Verdadero

    ❑ Falso

5. Jesús enseñó claramente que se debe _____ para heredar la vida eterna.

> orar   trabajar duro   creer

6. Jesús comparó la comida con la vida. Dijo que era el pan de __ __ __ __. Esto quiere decir que sólo Él puede dar vida eterna.

PARA PROFUNDIZAR:

Busque y complete el siguiente versículo:

✳ JUAN 6:35 *Jesús les dijo: Yo soy el* _____ *de* _____*; el que a mí viene, nunca tendrá* _____*; y el que en mí* _____*, no tendrá* _____ *jamás.*

Capítulo Doce
Preguntas de Repaso

1 Trapos de Inmundicia

2 El Camino

3 Lázaro

4 El Infierno

5 Aceptación y Traición

1 Trapos de Inmundicia

1. En la parábola que contó Jesús sobre el fariseo y el publicano, el fariseo confiaba en su comportamiento externo y sus buenas obras para auto justificarse delante de Dios.

   ❏ Verdadero

   ❏ Falso

2. El publicano era consciente de

   A. ser un pecador incapaz de ayudarse a sí mismo.

   B. tener que hacer una gran cantidad de buenas obras para ser aceptado ante Dios.

   C. ser un hombre muy bueno y santo.

3. Dios solamente puede tratar con un corazón

   > arrepentido   orgulloso   exaltado   bueno

4. Jesús unió los conceptos del arrepentimiento y [la humildad / el auto respeto].

5. Los fariseos confiaban en _____ para ser aceptados ante Dios.

   A. su piedad

   B. su fe en la misericordia de Dios

   C. su nacimiento como judíos

   D. sus buenas obras

6. La Biblia es clara sobre este punto: las buenas obras consiguen que estemos en paz con Dios.

   ❏ Verdadero

   ❏ Falso

7. La Biblia dice que todas las personas

   A. son buenas desde el nacimiento.

   B. son esclavas del pecado.

   C. se pueden redimir por medio de las buenas obras.

8. Dios declara que cada uno es responsable por las elecciones que hace.

    ❑ Verdadero

    ❑ Falso

Para profundizar:

Busque y complete el siguiente versículo.

✳ Isaías 64:6   *Si bien todos nosotros somos como _____, y todas nuestras _____ como trapo de _____; y caímos todos nosotros como la hoja, y nuestras _____ nos llevaron como viento.*

2 El Camino

1. Jesús usó la ilustración de

    A. una pocilga.

    B. un corral de ovejas.

    C. un pastoreo para vacas.

2. El corral tenía solamente una entrada.

    ❑ Verdadero

    ❑ Falso

3. En el pasaje bíblico, Juan 10:7-10, Jesús se identificó con _____ del rebaño.

| el sacerdote | el pastor | el profeta | el rey |

4. Jesús comparaba a los que amenazaban la manada, como contra la manada, como los ladrones y los lobos, con:

    A. los que roban animales.

    B. los falsos maestros que ofrecen entradas falsas a la vida eterna.

    C. los que amenazan matar gente buena.

5. Así como el pastor era el único que podía dar acceso al corral, la única manera de escapar de las consecuencias del pecado es creer en __ __ __ __ __.

6. Jesús dejó muy claro que Él es el único _____ a Dios, su palabra es la única _____ , y la _____ sólo puede encontrarse en Él.

> camino   profeta   verdad   vida eterna   sacerdote

Para profundizar:

Busque y lea los siguientes versículos:

Proverbios 14:12; Juan 14:6

3   Lázaro

1. Jesús dijo que la muerte de Lázaro ayudaría a los discípulos a creer.

   ❏ Verdadero

   ❏ Falso

2. ¿Cuánto tiempo estuvo Lázaro en el sepulcro antes de la llegada de Jesús?

   A. 4 días

   B. 2 días

   C. Solamente unas horas. Jesús llegó en cuanto oyó la noticia.

3. Marta tenía fe de que Jesús podría resucitar a su hermano de entre los muertos si quería, porque Él era el Mesías.

   ❏ Verdadero

   ❏ Falso

4. Complete las siguientes descripciones con el numeral correcto.

   ___ A. Cuerpo

   ___ B. Estante en el cual se colocaba el cuerpo

   ___ C. Zanja en la que se movía la puerta

   ___ D. Cuarto de los lamentos

   ___ E. Piedra en forma de rueda

5. Aunque Marta sabía que Lázaro resucitaría en el fin del mundo, Jesús tenía suficiente poder para resucitarlo en cualquier momento.

   ❏ Verdadero

   ❏ Falso

6. ¿Para qué oró Jesús en voz alta cuando quitaron la piedra de la tumba?

   A. Para que los que escuchaban creyeran que Él es Dios.

   B. Para que Dios lo oyera.

   C. Para que la gente supiera que Él era un hombre santo.

7. Todos los que vieron lo que hizo Jesús creyeron en Él y lo siguieron.

   ❏ Verdadero

   ❏ Falso

8. La Biblia es clara en afirmar que sí ocurre la reencarnación—que el espíritu de un muerto regresará a la tierra para vivir nuevamente en otro ser humano o en un animal.

   ❏ Verdadero

   ❏ Falso

Para profundizar:

Usando la concordancia al final de la Biblia, busque el siguiente versículo buscando la palabra *"resurrección."*

> Le dijo Jesús: Yo soy la **resurrección** y la vida; el que cree en mí, aunque esté muerto, vivirá.

4 El Infierno

1. Jesús contó una parábola sobre dos hombres, uno mendigo y el otro rico, los cuales fueron juzgados según su estrato social.

   ❏ Verdadero

   ❏ Falso

2. Para este estudio, equiparamos el seno de Abraham, llamado a veces el paraíso, con _____.

> Israel   el Cielo   la tierra   la vida   la muerte

3. ¿Por qué fue Lázaro al paraíso? Porque _____

    A. era mendigo y pobre.

    B. confió en el Señor y se acercó a Dios como Dios quería.

    C. su vida en la tierra había sido muy buena.

4. El rico estaba en _____ porque ignoró a Dios y vivió solamente para sí mismo. No habrá una _____ oportunidad de ir al Cielo cuando uno esté en el infierno. La _____ puede recibirse solamente cuando uno _____ y cree durante su vida.

> segunda   el infierno   se arrepiente   misericordia

5. La Biblia dice que si la gente rehusa creer en la palabra escrita de Dios, tampoco creerá que alguien puede ser resucitado de entre los muertos.

    ❑ Verdadero

    ❑ Falso

PARA PROFUNDIZAR:

Busque y lea los siguientes versículos:

APOCALIPSIS 20:11-15;   APOCALIPSIS 21:1-7

5 Aceptación y Traición

1. Cuando Jesús iba montado en un asno en medio de la multitud que gritaba *"Hosanna,"* se estaba cumpliendo una profecía hecha quinientos años antes por el profeta Zacarías cuando dijo:

   Alégrate mucho, hija de Sion; da voces de júbilo, hija de Jerusalén; he aquí tu rey vendrá a ti, justo y salvador, humilde, y cabalgando sobre un asno, sobre un pollino hijo de asna.   Zacarías 9:9

   ❏ Verdadero

   ❏ Falso

2. Hosanna significa *salva ahora.* La gente gritaba esto esperando que Jesús

   A. les perdonara sus pecados y los salvará de la muerte eterna que merecían por sus pecados.

   B. fuera su líder y derrocara a los opresores romanos.

   C. los rescatara de las demandas de los fariseos.

3. En vez de anunciarse como el rey de Israel y empezar la rebelión contra los romanos, Jesús se quedó tranquilamente celebrando la Pascua junto con sus discípulos.

   ❏ Verdadero

   ❏ Falso

4. Jesús descubrió tres días antes de la Pascua que Judas Iscariote era un traidor.

   ❏ Verdadero

   ❏ Falso

5. Satanás obligó a Judas Iscariote a traicionar a Jesús.

   ❏ Verdadero

   ❏ Falso

6. Jesús dijo que el pan de la Pascua representaba su

   — — — — — —.

7. El beber de la copa simbolizaba la sangre de Jesús que sería derramada para la salvación de mucha gente.

   ❑ Verdadero

   ❑ Falso

Para profundizar:

Busque y compare las siguientes profecías y su cumplimiento.

Zacarías 9:9	⟶	Marcos 11:7-10
Salmo 41:9	⟶	Marcos 14:17-20
Zacarías 11:12	⟶	Mateo 27:3-7

Capítulo Trece
Preguntas de Repaso

1 El Arresto

2 La Crucifixión

3 El Entierro y la Resurrección

1 EL ARRESTO

1. Aunque Jesús sometió su voluntad humana a la de su Padre celestial, le atormentaba la idea de sufrir físicamente.

   ❏ Verdadero

   ❏ Falso

2. Cuando la multitud que iba a arrestarlo dijo a quien buscaba, Jesús admitió que era Él con un enfático *"¡YO SOY!"* Esto podría ser traducido literalmente como: *"YO SOY, ahora,* — — — —*."*

3. Estas dos palabras surtieron poco efecto en la multitud que lo rodeaba.

   ❏ Verdadero

   ❏ Falso

4. Jesús le dijo a Pedro que lo defendiera, y entonces Pedro le cortó una oreja a un siervo.

   ❏ Verdadero

   ❏ Falso

5. Aún en medio de todo este caos, Jesús seguía pensando en los demás.

   ❏ Verdadero

   ❏ Falso

6. Las preguntas de Dios siempre pretenden sacar a la luz los verdaderos pensamientos e intenciones de una persona.

   ❏ Verdadero

   ❏ Falso

7. Era legal que el Sanedrín se reuniera por la noche.

   ❏ Verdadero

   ❏ Falso

8. El Sanedrín condenó a Jesús a muerte acusándolo de

   A. sedición.

   B. motín.

   C. blasfemia.

Para profundizar:

Para aprender más sobre el juicio de Jesús ante los funcionarios del Templo, busque y lea Juan 18:19-23

2 La Crucifixión

1. El Sanedrín halló culpable a Jesús de dos cargos. Ponga un círculo alrededor de la frase verdadera.

   A. Prohibió dar tributo a César.

   B. Proclamaba ser el Cristo o Mesías.

2. ¿Por qué no le mostró Jesús algún milagro a Herodes?

   A. Había perdido toda su energía.

   B. Herodes quería divertirse un poco contemplando algún milagro de Jesús, mostrando así su falta de respeto hacia la persona y el carácter de Cristo.

   C. No quería ponerse en ridículo.

3. A Jesús le azotaron tanto que estaba irreconocible, y luego los soldados se burlaron de Él. Setecientos años antes que esto sucediera, el profeta Isaías había escrito sobre ello.

   ❑ Verdadero

   ❑ Falso

4. La crucifixión era usada por los romanos para aplicar la pena de muerte solamente a esclavos y criminales del más bajo nivel.

   ❑ Verdadero

   ❑ Falso

5. Según el gráfico, ¿qué número corresponde a las formas de crucifixión que se describe? Ponga un círculo alrededor de la forma usada en el caso de Jesús.

   ___ A. El acusado era crucificado en posiciones variadas.

   ___ B. La forma más común, junto con la de usar un árbol.

   ___ C. La manos del acusado eran clavadas encima de la cabeza.

   ___ D. Reservada para criminales con alguna notoriedad.

   ___ E. El cuerpo era extendido con las manos y los pies en dirección a las cuatro esquinas.

🌳	I	X	T	†
1	**2**	**3**	**4**	**5**

6. El rey David escribió acerca de la crucifixión de Jesús _____ años antes de que los romanos adoptaran la crucifixión como una de sus formas oficiales de castigo capital.

> doscientos   ochocientos   cincuenta

7. Los soldados sabían que estaban cumpliendo una antigua profecía cuando echaron a suerte las ropas de Jesús.

   ❑ Verdadero

   ❑ Falso

8. Jesús le prometió al ladrón que estaba a su lado que iría al paraíso porque había _____ que Él lo libraría de las consecuencias del pecado y del castigo eterno.

> creído   esperado   tenido fe   confiado

9. Cuando murió Jesús, la cortina del templo que ocultaba el lugar santísimo se rasgó de arriba hacia abajo. Esto era significativo porque:

   A. mirar hacia el otro lado de la cortina significaba la muerte.

   B. la cortina era muy alta y gruesa.

   C. sólo Dios podría haber rasgado el velo, no un hombre.

10. La frase *"¡Consumado es!"* es la traducción de una palabra griega. Esta palabra tenía muchos usos diferentes en época de Cristo. ¿Cuál de las frases siguientes expresa mejor su significado?

    A. El trabajo está terminado.

    B. Se ha pagado la deuda.

    C. La búsqueda del sacrificio perfecto se ha terminado.

11. Los soldados quebraron las piernas de Jesús como les fue ordenado para que muriera rápidamente y así se cumplió la antigua profecía.

    ❏ Verdadero

    ❏ Falso

12. Todo el suceso se llevó a cabo el día de _____ en que se sacrificaba el cordero pascual.

> la preparación   la propiciación   Pentecostés

PARA PROFUNDIZAR:

Busque estos versículos y determine cuán exacto fue Jesús al predecir los detalles de su muerte. Mateo 16:21; 17:22; 20:18,19

3 El Entierro y la Resurrección

1. A Jesús lo envolvieron en lienzos con especias aromáticas y lo pusieron en un sepulcro.

    ❏ Verdadero

    ❏ Falso

2. La tumba era muy segura porque:

    A. la cuidaba una guardia romana de soldados muy entrenados.

    B. si la guardia dormía en horas de trabajo se la castigaba con la pena de muerte.

    C. había sido sellada con el cuerpo adentro.

3. Cuando el ángel del Señor apareció al frente de la tumba, ¿que le pasó a los guardianes?

   A. Pelearon contra el ángel.

   B. Se desmayaron de miedo.

   C. Huyeron.

4. El ángel les dijo a María y Salomé que Jesús

estaba muerto   dormía   vivía

5. La Biblia dice que cuando Juan vio la tumba vacía,

huyó   creyó   lloró   se dejó llevar por el pánico

6. Jesús, el Ungido, había herido a _ _ _ _ _ _ _ en la cabeza, justo como Dios lo había prometido mucho tiempo antes en el Jardín del Edén.

7. La muerte es una consecuencia del pecado. Jesús no necesitaba morir porque nunca había cometido pecado. Murió voluntariamente.

   ❏ Verdadero

   ❏ Falso

PARA PROFUNDIZAR:

Busque y lea los siguientes versículos.

JUAN 20:26-30;   HECHOS 2:27-32

Capítulo Catorce
Preguntas de Repaso

1 El Forastero

2 El Mensaje del Camino a Emaús
— Desde Adán Hasta Noé —

3 El Mensaje del Camino a Emaús
— Desde Abraham Hasta la Ley —

4 El Mensaje del Camino a Emaús
— Desde el Tabernáculo Hasta la Serpiente de Bronce —

5 El Mensaje del Camino a Emaús
— Desde Juan el Bautista Hasta la Resurrección —

1 El Forastero

1. Jesús les dijo a los dos hombres que el Mesías debía____

> sufrir   morir   resucitar

2. Jesús usó _____ para explicar todos los eventos relativos a su muerte, entierro y resurrección.

    A. la Biblia

    B. una parábola

    C. el Antiguo Testamento

Para profundizar:

Usando la concordancia al final de la Biblia, trate de hallar el siguiente versículo buscando la palabra *"escritura."*

> *Y comenzando desde Moisés, y siguiendo por todos los profetas, les declaraba en todas las Escrituras lo que de él decían.*

2 El Mensaje del Camino a Emaús
— Desde Adán Hasta Noé —

1. Una las frases de la derecha con las de la izquierda.

____ A. El hombre escogió su propio camino, el cual lo llevó a un desierto espiritual.

____ B. La amistad entre Dios y el hombre ya no existe.

____ C. Satanás manipula al hombre para que haga su voluntad.

____ D. El ser humano se unió a los rebeldes seguidores de Satanás.

____ E. La relación del hombre con Dios se ha terminado. En la muerte física, el espíritu será separado del cuerpo. Estará separado para siempre de Dios y de sus expresiones de amor.

____ F. El hombre está en la corte de Dios, acusado de haber quebrantado Su santa Ley.

1. El hombre es culpable.

2. El hombre está muerto.

3. El hombre es enemigo de Dios.

4. El hombre está alejado.

5. El hombre es esclavo.

6. El hombre está perdido.

2. Según la Biblia, hay tres clases de muerte para el hombre:

    ___ A. la muerte física del:

    ___ B. la muerte de una:

    ___ C. la muerte de:

1. relación.

2. cuerpo.

3. todo gozo futuro al estar confinado para siempre en el Lago de Fuego.

3. El Señor hizo al hombre con [*voluntad / emociones*], para que a través de sus obedientes decisiones honrara a Dios.

4. El hombre no puede hacerse aceptable a Dios.

    ❏ Verdadero

    ❏ Falso

5. Una las frases de la derecha y la izquierda para formar oraciones completas.

    ___ A. Así como un animal tuvo que morir para vestir a Adán y a Eva con ropas aceptables,

    ___ B. Así como Abel brindó un sacrificio de sangre para obtener el perdón de sus pecados,

    ___ C. Así como había solamente un arca, con una sola puerta para entrar y obtener refugio del diluvio,

    ___ D. El hombre no puede agradar a Dios por medio de ningún esfuerzo religioso,

    ___ E. Así como la gente de la época de Noé fue juzgada y condenada por sus pecados,

1. Dios juzgará a todos los hombres, cualquiera sea su filosofía de la vida.

2. Jesús tuvo que morir para hacernos aceptables ante la presencia de Dios.

3. pero Dios bajó para alcanzar al hombre en la persona de Jesucristo.

4. de la misma manera Jesucristo es el único camino que nos lleva a la vida eterna.

5. de la misma manera Jesús se ofreció a sí mismo como el más grande sacrificio de sangre, muriendo para que nosotros pudiéramos recibir perdón por nuestros pecados.

6. El hombre tenía que morir por su pecado. Pero Dios amaba al hombre, entonces, por Su [*misericordia* / *indulgencia*], le mostró al hombre [*tolerancia* / *gracia*]. Le brindó [*un trabajo* / *una vía*] que lo salvaría de la muerte eterna.

7. Aunque nacimos a este mundo como enemigos de Dios, ahora podemos ser amigos por la muerte física de Jesús en la cruz.

   ❏ Verdadero

   ❏ Falso

PARA PROFUNDIZAR:

1. Busque y complete el siguiente versículo.

   ✱ 1 JUAN 2:1-2   ...*Jesucristo el* _____. *Y él es la* _____ *por nuestros* _____*; y no solamente por los nuestros, sino también por los de todo el* _____.

2. Busque y lea los siguientes versículos.

   HEBREOS 9:22; · COLOSENSES 1:21-22;   ROMANOS 5:10;   JUAN 14:6

3 EL MENSAJE DEL CAMINO A EMAÚS
— DESDE ABRAHAM HASTA LA LEY —

1. Una las frases de la derecha y la izquierda para formar oraciones completas.

   ___ A. Así como Isaac estaba indefenso y no podía salvarse a sí mismo,

   ___ B. Así como el carnero murió en lugar de Isaac,

   ___ C. Así como la deuda de pecado de Abraham fue saldada cuando creyó a Dios,

   1. de la misma manera Jesús pagó la deuda de pecado de todos los que crean en Él.

   2. Jesús murió en nuestro lugar llevando nuestro castigo en la cruz. Él es nuestro sustituto.

   3. todos nosotros estamos atados por el pecado y no podemos salvarnos de sus consecuencias por nuestros propios medios.

2. Dios le contó por justicia, o sea, ingresó un crédito en la cuenta de Abraham porque se estaba adelantando a lo que Jesús haría en la cruz.

   ❏ Verdadero

   ❏ Falso

3. Jesús murió en nuestro lugar, asumiendo nuestro castigo por el pecado. Él es nuestro [sustituto / duplicado].

4. ¿Cuáles de las declaraciones siguientes son ciertas con respecto a la palabra creer?

   A. Significa lo mismo que confiar y tener fe.

   B. Debe estar basada en hechos reales.

   C. Tiene que ver con una aceptación mental y también la plena confianza del corazón.

5. Jesús clamó: "consumado es" porque la deuda estaba pagada.

   ❏ Verdadero

   ❏ Falso

6. Una estas comparaciones entre la Pascua y Jesús.

   ___ A. El cordero de la pascua debía ser un animal perfecto.

   ___ B. Debía ser macho.

   ___ C. Debía morir en lugar del primogénito.

   ___ D. Los israelitas no debían romper ningún hueso del cordero pascual.

   ___ E. El ángel de la muerte pasaría de largo por aquella casa donde se hubiera aplicado la sangre.

   1. Los huesos de Jesús no fueron rotos.

   2. Jesús no tenía pecado.

   3. Dios nos brindó una vía de escape para que su juicio pasara de largo sobre nosotros, de forma que el castigo que nosotros merecíamos lo tuvo que soportar Jesús en la cruz.

   4. Jesús murió en nuestro lugar, como nuestro sustituto.

   5. Jesús era un hombre.

7. Jesús, el cordero de Dios, fue crucificado el mismo día que el cordero de la Pascua. Murió a la misma hora de la tarde en que era ofrecido el cordero en el templo.

   ❑ Verdadero

   ❑ Falso

8. Obedecer los diez mandamientos nos ayuda a restaurar nuestra quebrantada relación con Dios.

   ❑ Verdadero

   ❑ Falso

9. Como Jesús no tenía pecados por los cuales morir, fue capaz de morir por los pecados de otros.

   ❑ Verdadero

   ❑ Falso

10. Según Dios estamos justificados. [*Estamos sin pecado delante de / Somos declarados justos por*] Dios.

11. Cuando somos vestidos con la justicia de Cristo, Dios nos ve con un nivel de justicia que es completamente igual a la santa perfección de Dios.

   ❑ Verdadero

   ❑ Falso

12. Dios nos considerará justos solamente si ponemos nuestra_____ en que Jesús murió en nuestro lugar.

   | fe | esperanza | confianza | creencia |

PARA PROFUNDIZAR:

1. El siguiente versículo que fue escrito siglos antes del nacimiento del Salvador prometido dice que Él será nuestra justicia. Busque JEREMÍAS 23:5-6 y complete el siguiente texto.

   "He aquí que vienen días, dice Jehová, en que levantaré a _____ renuevo _____, y reinará como Rey, el cual será dichoso,...y este será su nombre con el cual le llamarán: _____, _____ nuestra."

2. Busque y lea estos versículos.

   Romanos 3:23; 5:1; 8-9; 4:23-24

4 El Mensaje del Camino a Emaús
— Desde el Tabernáculo Hasta la Serpiente de Bronce —

1. Por nuestros pecados, estamos separados de Dios.

   ❑ Verdadero

   ❑ Falso

2. El cordero como sacrificio era solamente un pago temporal, pero Jesús fue el Cordero permanente y final.

   ❑ Verdadero

   ❑ Falso

3. La Escritura dice que nosotros somos adoptados en la familia de Dios con los plenos derechos de un hijo propio. En vez de estar separados, ahora hemos llegado a ser hijos.

   ❑ Verdadero

   ❑ Falso

4. Compare el altar de bronce con Jesús y complete las siguientes frases.

El sacrificio debía ser ...

___ A. de la manada o el rebaño.

___ B. macho.

___ C. sin defecto.

___ D. aceptado en lugar del hombre.

___ E. la expiación y cubierta de su pecado

___ F. un sacrificio de sangre.

Jesús ...

1. es sin pecado.

2. murió en nuestro lugar.

3. es el Cordero de Dios.

4. es varón.

5. era el sacrificio de sangre hecho por nosotros.

6. es nuestro único recurso para obtener perdón.

5. Una las frases de la derecha y la izquierda para formar oraciones completas.

___ A. Así como el primer paso para una relación correcta con Dios era derramar la sangre del sacrificio en el altar de bronce,

1. también el primer y único paso para establecer una correcta relación con Dios es confiar en Jesús, nuestro Cordero sustituto.

___ B. Así como el israelita que trajo sacrificios mostraba mediante ese hecho su fe en las instrucciones de Dios,

2. también Dios envió a Jesús para sufrir en sacrificio para que nosotros pudiéramos acercarnos a Dios confiadamente.

___ C. Así como el velo del tabernáculo que separaba al hombre de Dios se rasgó en dos, dejándole al hombre acercarse al Lugar Santísimo,

3. también nosotros debemos poner nuestra fe en lo que Jesús hizo en la cruz.

___ D. Así como la única manera en que los israelitas podían curarse de las mordeduras de las serpientes era volverse y mirar la serpiente de bronce,

4. también nosotros, para ser justos delante de Dios, tenemos que arrepentirnos volviéndonos hacia Dios y mirando con fe a Jesús, y creer que Él pagó nuestra deuda de pecado.

6. Estos versículos comparan a Jesús con objetos del Tabernáculo. Busque cuál corresponde a cada versículo.

___ A. *Jesús le dijo: Yo soy el camino, y la verdad, y la vida; nadie viene al Padre, sino por mí.* Juan 14:6

1. El candelero

___ B. *Otra vez Jesús les habló, diciendo: Yo soy la luz del mundo; el que me sigue, no andará en tinieblas, sino que tendrá la luz de la vida.* Juan 8:12

2. La mesa con el pan

___ C. *De cierto, de cierto os digo: El que cree en mí, tiene vida eterna. Yo soy el pan de vida.* Juan 6:47,48

3. El propiciatorio

___ D. *Y nunca más me acordaré de sus pecados y transgresiones. Pues donde hay remisión de éstos, no hay más ofrenda por el pecado* Hebreos 10:17-18

4. La entrada única

7. Así como Jesús resucitó de la tumba, venciendo la muerte, nosotros también llegamos a estar espiritualmente vivos, ahora y por toda la eternidad.

❑ Verdadero

❑ Falso

8. Aunque estuvimos muertos espiritualmente a la espera de una muerte eterna en el Lago de Fuego, ahora y por toda la eternidad, estaremos vivos en el __ __ __ __ __.

Para profundizar:

Busque y lea los siguientes versículos.

Efesios 2:4-5,13   Gálatas 4:6-7

5 El Mensaje del Camino a Emaús
— Desde Juan el Bautista Hasta la Resurrección —

1. La resurrección fue la prueba de que Jesús triunfó sobre la __ __ __ __ __ __. La había transformado en vida eterna.

2. Una las siguientes frases para formar oraciones completas.

___ A. Así como un pastor busca y rescata su oveja perdida,

___ B. Así como un esclavo está atado con cadenas, incapaz de liberarse,

___ C. Así como el redil de las ovejas tenía solamente una puerta,

___ D. Así como los fariseos no podían llegar a Dios obedeciendo los diez mandamientos,

1. también somos esclavos de Satanás e incapaces de liberarnos por nuestros medios.

2. tampoco podemos llegar al Señor haciendo buenas obras.

3. también Jesús bajó del Cielo y dio su vida en la cruz por nosotros, en nuestro lugar, para pagar nuestra deuda de pecado y así rescatarnos de la muerte.

4. también Jesús es el único camino para llegar a la vida eterna.

3. ¿Quién es responsable por la muerte de Jesús en la cruz?

    A. Sólo la nación de Israel.

    B. Los soldados romanos y nadie más.

    C. El mundo entero.

4. En la cruz, hubo en gran intercambio. Jesús tomó nuestro _____ y nos dio Su _____.

| fe | pecado | confianza | justicia | amor |

5. La vida eterna que Dios nos ofrece es verdaderamente un _ _ _ _ _ _ y no un premio. De ninguna manera la merecemos y no la podemos ganar.

6. No es la intensidad de nuestra confianza lo que nos salva, sino en [*quién* / *qué*] depositamos nuestra confianza.

7. Por la ___ ___

> *Creemos* que Jesús murió en nuestro lugar por nuestros pecados y transgresiones.

> *Creemos* que Jesús pagó la deuda por nuestro pecado.

> *Creemos* que la justicia de Dios fue satisfecha por la muerte de Jesús.

> *Creemos* que Dios nos da el regalo de la vida eterna.

8. Marque con un círculo las razones por las que Jesús murió.

A. Nuestro pecado demandaba la muerte.

B. Jesús tenía que pagar por sus propios pecados.

C. Jesús cargó las consecuencias eternas de nuestros pecados sobre sí mismo.

Para profundizar:

Busque y lea los siguientes versículos.

Juan 3:16,18	2 Corintios 5:21	Efesios 1:7-9
Hechos 4:12	Hebreos 2:14,15	

Capítulo Quince
Preguntas de Repaso

1 ¿Qué Es Lo Que Quieres Que Haga?

2 Esperaré un Tiempo Conveniente

1 ¿Qué Es Lo Que Quieres Que Haga?

1. La Biblia dice que Jesús vendrá por segunda vez. Podemos estar seguros que esto sucederá porque Dios siempre cumple sus promesas.

   ❏ Verdadero

   ❏ Falso

2. A Saulo lo conocían los seguidores de Jesús como:

   A. un hombre justo.

   B. la primera persona que aceptó el mensaje de los apóstoles.

   C. un apasionado enemigo y temido ejecutor de los seguidores de Jesús.

3. Cuando Saulo oyó la voz del Señor, camino a Damasco, rehusó dejar de perseguir a los creyentes.

   ❏ Verdadero

   ❏ Falso

4. La Biblia advierte que si rechazamos el mensaje de la cruz:

   A. podremos hallar otros caminos a Dios.

   B. habrá otras opciones diferentes luego.

   C. el resto de la Escritura no tendrá sentido para nosotros porque les será ininteligible a los que se pierden.

5. Según lo que dice la Biblia, usted es un(a) pecador(a) con una deuda por ese pecado que tendrá que ir pagando por la eternidad, separado(a) de Dios en el Lago de Fuego. Pero también dice que si usted cree que Jesús pagó la deuda, y si confía sólo en Él para librarlo(a) del castigo del pecado, entonces Dios le perdonará su pecado y la relación suya con Dios quedará restaurada.

   ❏ Verdadero

   ❏ Falso

6. Si usted cree que Jesús murió por su pecado, en su lugar, entonces según la Biblia la certificación del pagó de la deuda suya ha sido clavada en la cruz hace dos mil años, anulando toda deuda por su pecado.

    ☐ Verdadero

    ☐ Falso

7. Conecte los siguientes íconos por medio de la cruz.

A. DEUDOR

B. CULPABLE

C. CONDENACIÓN ETERNA

D. ESCLAVO

E. DESCONOCIDO

F. ENEMIGO

G. PERDIDO

1. HALLADO

2. LIBERADO REDIMIDO

3. RECONCILIADO

4. ADOPTADO

5. DECLARADO JUSTO

6. VIDA ETERNA

7. DEUDA CANCELADA

8. Dios nos perdona el pecado suponiendo que viviremos vidas libres de pecado.

   ❑ Verdadero

   ❑ Falso

9. La relación entre un creyente y Dios es muy semejante a la de un hijo y su padre. [*El compañerismo / la relación*] con el padre es permanente. Jamás dejarán de ser padre e hijo. Sin embargo, si el hijo desobedece, [*el compañerismo / la relación*] con el padre se rompe, quedando rota hasta que el hijo admita su culpa y pida perdón.

10. La Escritura dice que la vida de una persona viene determinada por [*su bondad / el enfoque que se le da*].

11. Usando la Biblia, busque los siguientes versículos e identifique una palabra que tenga el mismo significado que la palabra central y no cambie el sentido.

    Colosenses 3:1-2   *Si, pues, habéis resucitado con Cristo, _____ las cosas de arriba, donde está Cristo sentado a la diestra de Dios. _____ la mira en las cosas de arriba, no en las de la tierra.*

    Hebreos 12:2   _____ *los ojos en Jesús, el autor y consumador de la fe, el cual por el gozo puesto delante de él sufrió la cruz, menospreciando el oprobio, y se sentó a la diestra del trono de Dios.*

    Hebreos 3:1   *Por tanto, hermanos santos, participantes del llamamiento celestial, _____ al apóstol y sumo sacerdote de nuestra profesión, Cristo Jesús.*

    2 Pedro 3:12   … _____ y _____ *para la venida del día de Dios…*

12. ¿Cuáles son las cosas en las que debemos centrar nuestra atención?

    A. Lo que tenemos gracias a Jesús

    B. Llegar a conocer más a Jesús

    C. Confiar en Él con todo nuestro ser

    D. Nosotros y nuestro bienestar

13. ¿Cuáles de los siguientes son considerados enemigos o cosas que pueden desviar nuestro enfoque de Cristo?

    A. Nuestra naturaleza humana

    B. El sistema del mundo

    C. El diablo

14. Nuestra naturaleza humana tiene un deseo innato de centrar la atención en:

    A. Dios.

    B. otra gente.

    C. nosotros mismos.

15. Estar obsesionado con __ _____ , sus necesidades y deseos es siempre perjudicial. Hallamos gozo verdadero cuando nos preocupamos por conocer a _____ y servir a _____ .

otros	uno mismo	Dios

16. Las raíces que nos van a permitir crecer espiritualmente fuertes serán cada vez más profundas mientras no perdamos nuestro __ __ __ __ __ __ en el Todopoderoso.

17. Hay varias cosas que nos ayudarán a crecer espiritualmente al establecer y mantener un enfoque apropiado en la vida cristiana. Una las siguientes ideas

___ A. Dios mismo

___ B. La fe

___ C. La Biblia

___ D. La oración

___ E. Hablando a otros

___ F. La música

___ G. Otros ceyentes

___ H. La esperanza futura

1. Animar nuestros corazones.

2. Los discípulos fueron por todas partes contando a otros las buenas nuevas.

3. Obtenemos madurez espiritual por medio de la amistad con ellos.

4. Un día Jesús regresará a la tierra.

5. Por ésta andamos con Dios.

6. Simplemente hablar con Dios.

7. Resida en nosotros por el Espíritu Santo.

8. Es nuestra fuente de fortaleza diaria.

PARA PROFUNDIZAR:

Busque y lea los siguientes versículos.

TITO 2:11-14   COLOSENSES 2:13,15   SALMOS 103:11,12

JUAN 14:1-41   I TESALONICENSES 4:13-18 HEBREOS 12:1,2

2 ESPERARÉ UN TIEMPO CONVENIENTE

1. ¿Por qué murió Herodes?

   A. Quizas contrajo una enfermedad mortal.

   B. No confió en Dios y no le dio la gloria y la alabanza.

   C. Uno de sus guardaespaldas lo mató cuando estaba borracho.

2. Dios en su gracia tolerará el pecado durante un tiempo limitado pero, en algún momento, ejercerá su justicia, condenando esa actitud de rebeldía ya sea durante esta vida o después de la muerte.

   ❏ Verdadero

   ❏ Falso

3. Después de oír de Pablo el mensaje de Jesús, Félix dijo que quería esperar que llegara una oportunidad mejor.

   ❏ Verdadero

   ❏ Falso

PARA PROFUNDIZAR:

Busque y lea el siguiente versículo.   2 CORINTIOS 6:2

RESPUESTAS A LAS PREGUNTAS

Respuestas para el Capítulo Uno

1 Prólogo

No hay preguntas en esta sección.

2 Poniendo las Cosas en Orden

1. *Verdad*   (pág. 6)
2. *Verdad*   (pág. 7)
3. *A, B, C, D*   (págs. 7-8)
4. *B*   (págs. 7-8)
5. *A, B, D.* En un libro tan corto, no es posible dar un entendimiento extenso y comprensivo de la Biblia. (págs. 8, 9)

3 Un Libro Único

1. *C*   (pág. 9)
2. *B*   (pág. 9)
3. *C*   (pág. 9)
4. *B*   (pág. 10)
5. *A*   (pág. 10)
6. *Falso.* Es cierto que Dios inspiró a los profetas de tal manera que lo que escribieron fue precisamente lo que Él quería que escribieran, pero estos hombres no tenían libertad de añadir sus propios pensamientos personales al mensaje.   (pág. 11)
7. *A*   (pág. 12)
8. *Falso.* La concordancia es una herramienta que ayuda a encontrar un versículo.   (pág. 13)
9. B   (pág. 13)

Respuestas para el Capítulo Dos

1 En el Principio Dios...

1. *Falso.* La Biblia dice que Dios no tuvo comienzo y no tendrá fin. Él es eterno.   (pág. 15)
2. *eternidad*   (pág. 15)
3. *C*   (pág. 18)
4. *Yo Soy*   (pág. 18)
5. *Verdad*   (pág. 18)
6. *Falso.* No hay otro como Dios. Él es el único que gobierna el universo. (pág. 19)
7. *A, B, C*   (pág. 19)
8. *Un*   (págs. 19-20)
9. *Espíritu*   (pág. 20)

2 Ángeles, Ejércitos y Potestades

1. *A, B, C, D* (pág. 21)
2. *A, B* (pág. 21)
3. *Verdadero* (pág. 22)
4. El que hace el remo es su dueño. (pág. 22)
5. *Falso.* Los ángeles fueron creados originalmente con capacidad para escoger. (pág. 23)
6. *B* (pág. 23)
7. *Verdadero* (pág. 23)
8. *A* (pág. 24)
9. *Valor* (pág. 24)

Respuestas para Capítulo Tres

1 Cielo y Tierra

1. *Verdadero* (pág. 27)
2. *B* (pág. 31)
3. *La nada* (pág. 27)
4. *Verdadero* (pág. 27)
5. *Falso.* Dios lo sabe todo. (pág. 27)
6. A. conocimiento
   B. poder
   C. mismo tiempo (págs. 27-28)
7. *Falso.* La Biblia dice claramente que Dios es más grande que su creación y distinto de ella. (pág. 29)

2 Era Bueno

1. *Falso.* Dios creó todo en seis días. (pág. 32)
2. *Verdadero* (pág. 33)
3. *Orden* (pág. 35)
4. *Verdadero* (pág. 36)
5. *Género* (págs. 36-37)
6. *A, B, C* (pág. 37)
7. *Santo, Justo* (pág. 37)
8. *Interesa, Preocupa* (pág. 38)

Para profundizar:

_g_ Día Uno	_f_ Día Cuatro	_d_ Día Seis
_e_ Día Dos	_b_ Día Cinco	_c_ Día Siete
_a_ Día Tres		

3 Hombre y Mujer

1. *A, C, D* (pág. 40)
2. *A* (pág. 41)
3. *B* (pág. 42)
4. *B* (pág. 42)
5. *Falso.* Como Creador y Dueño, Dios nunca les preguntó a Adán y Eva si a ellos les gustaría vivir en el Edén; Él sabía lo que era mejor. (pág. 43)
6. *Dueño* (pág. 43)
7. *B* (págs. 43-44)
8. *Escoger* (pág. 44)
9. *C* (pág. 44)
10. *Verdadero* (pág. 44)
11. *A* (pág. 46)
12. *Verdadero* (pág. 45)

Para profundizar:

Por medio de la concordancia debió haber llegado a Génesis 1:27.

Respuestas para Capítulo Cuatro

1 El Usurpador

1. *B* (pág. 51)
2. *Subiré, levantaré, me sentaré, subiré, seré* (pág. 52)
3. *Orgullo* (pág. 52)
4. *Pecado* (pág. 53)
5. *Pecado* (pág. 53)
6. *Verdadero* (pág. 55)
7. *B* (pág. 54)
8. *A: b, c   B: a, d* (pág. 54)
9. *Lago, fuego* (pág. 54)

2 ¿Conque Dios Ha Dicho?

1. *A* (pág. 56)
2. *B* (pág. 57)
3. *A* (pág. 58)
4. *Más que, mejor que* (pág. 59)
5. *Falso.* Para Dios toda desobediencia es pecado. (pág. 60)
6. *Verdadero* (pág. 60)
7. *Vergüenza* (pág. 61)
8. *Alternativas, pecado* (pág. 62)
9. *Falso.* Dios es santo y justo y por lo tanto no puede tolerar el pecado en su presencia. La desobediencia de Adán y Eva abrió un abismo enorme en la relación entre Dios y ellos. (pág. 60)

3 ¿Dónde Estás?

1. *Verdadero*   (pág. 64)
2. *Pregunta*   (pág. 63)
3. *Verdadero*   (pág. 64)
4. *A, B*   (pág. 64)
5. *B, D*   (págs. 64-65)
6. *Falso.* Nunca lo admitieron.   (pág. 65)
7. *B*   (pág. 66)
8. *A, B, C*   (págs. 66-67)
9. *A*   (pág. 66)
10. *Verdadero*   (pág. 67)
11. *B*   (pág. 67)
12. *Muerte*   (pág. 68)

4 Muerte

1. *Falso*   (pág. 68)
2. A: *3*   B: *1*   C: *2*   (págs. 69-72, los títulos)
3. *Verdadero*   (pág. 71)

Las respuestas al crucigrama se hallan en las páginas 68-75 de El Forastero En El Camino a Emaús.

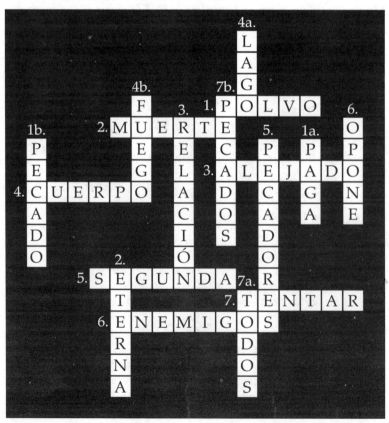

Respuestas para Capítulo Cinco

1 Una Paradoja

1. *Leyes* (pág. 79)
2. *Certificado, deuda* (pág. 79)
3. *Pecado, muerte.* (pág. 79)
4. *Verdadero* (pág. 80)
5. *B* (pág. 80)
6. *Pecado, perfección o justicia* (pág. 80)
7. *Verdadero* (pág. 81)
8. *Cuidado, interés, inmerecido* (pág. 82)
9. *Todos* (pág. 82)
10. *A* (pág. 82)
11. *A* (pág. 83)

2 La Expiación

1. *Eliminar* (pág. 83)
2. *Muerte* (pág. 83)
3. *Falso.* Caín y Abel traían el germen del pecado de Adán, la naturaleza pecaminosa. (pág. 85)
4. *B* (pág. 85)
5. *C* (pág. 86)
6. *A* (pág. 86)
7. *Cubriría* (pág. 86)
8. *A, B, C* (pág. 86)
9. 1. *Confiaba*
   2. *Dios* (pág. 88)
10. *Sangre* (pág. 88)
11. *Abel* (pág. 89)
12. *Muerte* (pág. 92)
13. *Vida* (pág. 92)

3 De Dos en Dos

1. *Salvador* (pág. 94)
2. *Falso.* Casi todos le dieron la espalda a Dios. (pág. 94)
3. *C* (pág. 96)
4. *C* (pág. 95)
5. *Verdadero* (pág. 96)
6. *A, B, C* (págs. 96-97)
7. *Muerte* (pág. 96)
8. *Puerta* (pág. 97)
9. *Falso.* Dios cerró la puerta. (pág. 99)
10. *Verdadero* (pág. 99)
11. *Verdadero* (pág. 101)
12. *B* (pág. 102)

Para profundizar:

Debe haber hallado por medio de la concordancia Génesis 7:5.

4 La Torre de Babel

1. *Falso.* Dios les había ordenado que llenaran la tierra.(pág. 105)
2. *C* (pág. 106)
3. *Falso* (pág. 106)
4. *Religión* (pág. 106)
5. *Religión* (pág. 107)
6. *Verdadero* (pág. 107)
7. *A, B, C* (págs. 85-86)
8. *Verdadero* (pág. 108)

Respuestas para Capítulo Seis

1 Abraham

1. *A, B, C* (pág. 113)
2. *B* (pág. 114)
3. *Verdadero* (pág. 115)
4. Dios dijo que por la confianza que Abraham sentía por Él, Dios iba a acreditar en su cuenta para pagar su deuda por el pecado. (pág. 116)
5. *B* (pág. 116)
6. *Verdadero* (pág. 117)

2 Creer

1. *Fe* (pág. 117)
2. *A* (pág. 117)
3. *Verdadero* (pág. 118)
4. Lo fundamental no es la cantidad de fe que se tenga, sino en quién está depositada esa fe. (pág. 118)
5. *Falso.* La obediencia de Abraham a Dios era el resultado natural de su confianza en Él. (pág. 118)

3 Isaac

1. *B* (pág. 121)
2. *Verdadero* (pág. 121)
3. *A* (pág. 122)
4. *Verdadero* (pág. 122)
5. *C* (pág. 123)
6. *C* (pág. 124)
7. A: 3 B: 1 C: 5 D: 4 E: 2 (pág. 125)
8. *Falso.* La provisión de un sustituto fue idea de Dios. (pág. 125)
9. *Verdadero* (pág. 125)

RESPUESTAS PARA CAPÍTULO SIETE

1 ISRAEL Y JUDÁ

1. A   (pág. 127)
2. Salvador   (pág. 128)
3. Falso. Jacob tuvo doce hijos y una hija, pero las tribus, que descendieron de los hijos, eran solamente doce. (pág. 128)
4. Verdadero   (pág. 128)
5. Verdadero   (pág. 127)
6. C   (pág. 128)

2 MOISÉS

1. C   (pág. 129)
2. A   (pág. 130)
3. B   (pág. 131)
4. C   (pág. 131)
5. Falso. Lo creyeron, tal como Dios se lo había anticipado. (pág. 132

PARA PROFUNDIZAR:

Por medio de la concordancia debió hallar ÉXODO 3:14-15.

3 FARAÓN Y LA PASCUA

1. A   (pág. 132)
2. Falso. Serían un ejemplo para que la humanidad supiera cómo era Dios y cómo se relacionaba con los hombres. (pág. 133)
3. A, B   (pág. 133)
4. Verdadero   (pág. 134)
5. Manera   (pág. 135)
6. Falso. Dios dio instrucciones detalladas a los israelitas y les había especificado que debían obedecerlas. (pág. 137)
7. Verdadero   (pág. 137)
8. Verdadero   (pág. 138)
9. A: 3 B: 1 C: 2   (pág. 138)

Respuestas para Capítulo Ocho

1 Pan, Codorniz y Agua

1. *Falso.* Los israelitas murmuraron.   (pág. 141)
2. *A, B, D*   (págs. 142, 144)
3. *B*   (pág. 143)
4. *Falso*   (pág. 143)
5. *Falso.* Dios proveía más que suficiente diariamente.
                               (pág. 142)
6. *Misericordioso, digno de confianza, bondadoso; creída, obedecida*   (págs. 143, 144)
7. *Verdadero*   (pág. 144)

2 Los Diez Mandamientos

1. *Obedeces*   (pág. 145)
2. *Falso.* Estaban seguros de que podían hacer lo que les ordenaba Dios.   (pág. 145)
3. *La limpieza o pureza*   (pág. 146)
4. *C*   (pág. 146)
5. *Verdadero*   (pág. 147)
6. *B*   (pág. 148)
7. *Verdadero*   (pág. 148)
8. *Honren a*   (pág. 149)
9. *Homicidio*   (pág. 150)
10. *A, B, C*   (pág. 150)
11. *Mentira*   (pág. 151)
12. *Verdadero*   (pág. 151)
13. *Falso.* Uno puede estar siempre seguro de que es la verdad.   (pág. 151)
14. *Falso.* Lo que Dios demanda de la humanidad nunca cambia.   (pág. 152)
15. *Verdadero*   (pág. 152)

3 La Sala del Tribunal

1. *C*   (pág. 153)
2. *Verdadero*   (pág. 153)
3. *Falso.* El hombre no es capaz de guardar los diez mandamientos sin nunca quebrantarlos.   (pág. 154)
4. *A, B*   (pág. 154)
5. *Pecado*   (pág. 155)
6. *B*   (pág. 156)
7. *A*   (pág. 157)
8. *C*   (pág. 157)
9. *Verdadero*   (pág. 160)

Respuestas para Capítulo Nueve

1 El Tabernáculo

1. *Sin esperanza* (pág. 163)
2. *Falso.* Tenían que seguir el diseño que les mostraría Dios. (pág. 164)
3. *Verdadero* (pág. 165)
4. *C* (pág. 165)
5. *A: P   B: LSS   C: P   D: LS   E: LS   F: LSS   G: LS* (págs. 166-167)
6. *Verdadero* (pág. 168)
7. *Verdadero* (pág. 170)
8. *A, B, C, D, E*(págs. 169-170)
9. *C* (pág. 170)
10. *mano, cabeza, sustituto* (pág. 170)
11. *A* (pág. 171)
12. *Aarón, el Sumo Sacerdote, entraba en el Lugar Santísimo una vez al año, nunca sin sangre, la cual ofrecía en el propiciatorio Esto se hacía el día de la expiación.* (pág. 172)

2 Incredulidad

1. *responsables* (pág. 173)
2. *Falso.* Empezaron a murmurar de nuevo. (page 173)
3. *Verdadero* (pág. 174)
4. *B* (pág. 174)
5. *Muerte* (pág. 174)
6. *Arrepentimiento* (pág. 174)
7. *Verdadero* (pág. 174)
8. *B* (pág. 175)
9. *Falso.* Era simplemente una oportunidad para que los israelitas mostraran su fe en Dios. (pág. 175)

3 Jueces, Reyes y Profetas

<u>2</u> Esclavizados
<u>3</u> Arrepentidos
<u>1</u> Rebeldes
<u>4</u> Rescatados

(pág. 177)

Las respuestas al crucigrama se hallan en las páginas 176-182.

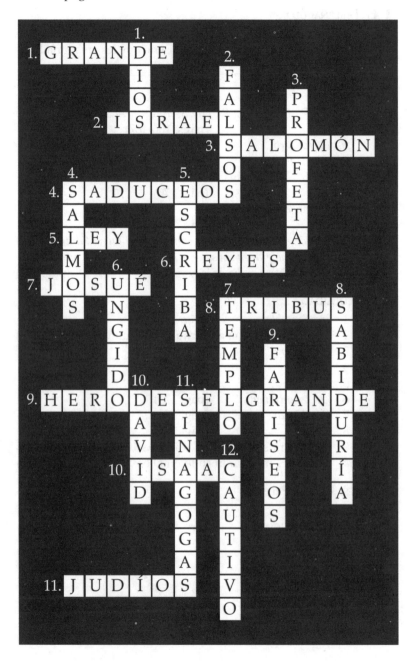

Respuestas para Capítulo Diez

1 Elisabet, María y Juan

1.

| Dios | Juan | Los israelitas |

He aquí, yo envío mi mensajero, el cual preparará el camino delante de mí; y vendrá súbitamente a su templo el Señor a quien vosotros buscáis, y el ángel del pacto, a quien deseáis vosotros He aquí viene, ha dicho Jehová de los ejércitos. (pág. 188)

2. *Falso.* José y María eran descendientes directos del rey David. (pág. 189)
3. *Verdadero* (pág. 189)
4. *Verdadero* (pág. 192)
5. *Verdadero* (pág. 192)

2 Jesús

1. *Jesús* (pág. 193)
2. A: 3   B: 1   C: 2   D: 4 (págs. 193, 196)
3. *B* (pág. 194)
4. *A* (pág. 195)
5. *C* (pág. 195)
6. *B* (pág. 197)
7. *Verdadero* (págs. 190, 197)
8. *A* (pág. 198)

3 Entre los Maestros de la Ley

1. *Ser humano* (pág. 200)
2. *Verdadero* (pág. 200)
3. *C* (pág. 202)
4. *Verdadero* (pág. 191)

Para profundizar:

Debe haber hallado por medio de la concordancia Juan 1:14.

4 Bautismo

1. *Identificación*(pág. 203)
2. *Verdadero*   (pág. 203)
3. *Falso.* Les dijo que se arrepintieran porque eran pecadores. Aunque eran pecadores ellos creian que eran justos. (pág. 204)
4. *B*   (pág. 204)
5. *Cordero*   (pág. 205)
6. *Falso.* El bautismo ni nos hace aceptables a Dios ni nos quita los pecados.   (pág. 205)
7.   (pág. 209)

Respuestas para Capítulo Once

1 Tentado

1   *A*   (pág. 211)
2. *Verdadero*   (pág. 211)
3. *Verdadero*   (pág. 211)
4. *B*   (pág. 211)
5. *Falso.* Jesús dijo que era más importante seguir a Dios que ocuparse de las necesidades físicas.   (pág. 211)
6. *Falso.* Satanás siempre tergiversa la Biblia.   (pág. 212)
7. *Verdadero*   (pág. 213)
8. *Falso.* Jesús estaba por encima de cualquier reproche. (pág. 213)
9. *Falso.* Jesús, como el Dios Creador, es mucho más poderoso que Satanás, un ser creado.   (pág. 214)
10. *Maldad.*   (pág. 214)

2 Poder y Fama

1. *Verdadero*   (pág. 215)
2. *Falso.* Jesús era Dios y sus actos hacían que sus palabras fueran creíbles.   (pág. 215)
3. *A, B, C*   (pág. 217)

3 Nicodemo

1. *A, B, C, D* (pág. 217)
2. *Falso.* Se refería a un nacimiento espiritual. (pág. 218)
3. *Eterna* (pág. 218)
4. *C* (pág. 218)
5. El *objeto* de la fe es lo importante. (pág. 218)
6. *Falso.* Jesús ofrecía vida eterna a todos. (pág. 219)
7. *Verdadero* (pág. 220)
8. *Jesús* (pág. 220)

4 Rechazo

1. *Verdadero* (pág. 221)
2. *La fe* (pág. 221)
3. *A, B, C* (pág. 222)
4. *Verdadero* (pág. 223)
5. *Incapacidad de ayudarse a sí mismos; pecaminosidad* (pág. 223)
6. *Verdadero* (pág. 225)
7. *B* (pág. 225)
8. *Falso.* Ningún discípulo era líder religioso. (pág. 225)

5 Pan de Vida

1. *Falso.* Jesús lo puede hacer todo. (pág. 226)
2. *C* (pág. 226)
3. *Rey* (pág. 227)
4. *Verdadero* (pág. 227)
5. *Creer* (pág. 228)
6. *Vida* (pág. 228)

Respuestas para Capítulo Doce

1 Trapos de Inmundicia

1. *Verdadero* (pág. 231)
2. *A* (pág. 231)
3. *Arrepentido* (pág. 232)
4. *La humildad* (pág. 232)
5. *A, C, D* (pág. 232)
6. *Falso.* La Biblia es clara en que las buenas obras no consiguen que seamos justificados ante Dios. (pág. 233)
7. *B* (pág. 233)
8. *Verdadero* (pág. 234)

2 El Camino

1. *B*   (pág. 235)
2. *Verdadero*   (pág. 235)
3. *El pastor*   (pág. 235)
4. *B*   (pág. 236)
5. *Jesús*   (pág. 236)
6. *Camino, verdad, vida* (pág. 236)

3 Lázaro

1. *Verdadero*   (pág. 237)
2. *A*   (pág. 239)
3. *Verdadero*   (pág. 238)
4. *A: 3 B: 2 C: 5 D: 1 E: 4*   (pág. 239)
5. *Verdadero*   (pág. 238)
6. *A*   (pág. 239)
7. *Falso.* Algunos creyeron, pero muchos conspiraron contra Él.   (pág. 240)
8. *Falso.* La Biblia afirma que toda persona tiene solamente una vida, y que después de la muerte ya no regresa a vivir en la tierra. La reencarnación no se enseña como verdad en ninguna parte de la Biblia.   (pág. 240)

Para profundizar:

Por medio de la concordancia debe haber hallado Juan 11:25.

4 El Infierno

1. *Falso.* Fueron juzgados según su confianza en Dios.   (pág. 241)
2. *Al Cielo*   (pág. 241)
3. *B*   (pág. 241)
4. El rico estaba en el infierno porque ignoró a Dios y vivió solamente para sí mismo. No habrá una segunda oportunidad de ir al Cielo cuando uno esté en el infierno. La misericordia puede recibirse solamente cuando uno se arrepiente y cree durante su vida.   (págs. 241, 242)
5. *Verdadero*   (pág. 242)

5 Aceptación y Traición

1. *Verdadero*   (pág. 243)
2. *B*   (pág. 243)
3. *Verdadero*   (pág. 244)
4. *Falso.* Cuando Jesús había escogido sus doce discípulos ya sabía que Judas era un traidor.   (pág. 244)
5. *Falso.* Judas tenía su propia voluntad y él escogió traicionar a Jesús.   (pág. 244)
6. *Cuerpo*   (pág. 246)
7. *Verdadero*   (pág. 246)

Respuestas para Capítulo Trece

1 El Arresto

1. *Verdadero* (pág. 249)
2. *Dios* (pág. 250)
3. *Falso.* Cuando Jesús dijo las palabras "YO SOY," la gente retrocedió y cayó a tierra. (pág. 250)
4. *Falso.* Es cierto que Pedro le cortó la oreja al siervo, pero Jesús nunca le había pedido que lo defendiera. (pág. 250)
5. *Verdadero* (pág. 250)
6. *Verdadero* (pág. 251)
7. *Falso.* Reunirse durante la noche era estrictamente ilegal. (pág. 252)
8. *C* (pág. 252)

2 La Crucifixión

1. *B* (pág. 253)
2. *B* (pág. 256)
3. *Verdadero* (pág. 258)
4. *Verdadero* (pág. 260)
5. A: *1* B: *4* C: *2* D: *5* E: *3* (pág. 260)
6. *Ochocientos* (pág. 261)
7. *Falso.* Los soldados no tenían la menor idea de que estaban cumpliendo una antigua profecía. (pág. 262)
8. *A, B, C, D* (pág. 263)
9. *A, B, C* (pág. 264)
10. *A, B, C* (págs. 265, 266)
11. *Falso.* No se le quebró ningún hueso a Jesús. (pág. 266)
12. *La preparación* (pág. 259)

3 El Entierro y la Resurrección

1. *Verdadero* (pág. 267)
2. *A, B, C* (pág. 268)
3. *B* (pág. 269)
4. *Vivía* (pág. 270)
5. *Creyó* (pág. 271)
6. *Satanás* (pág. 273)
7. *Verdadero* (pág. 274)

Respuestas para Capítulo Catorce

1 El Forastero

1. *Sufrir, morir, resucitar* (pág. 278)
2. *A, C* (pág. 279)

Para profundizar:

Por medio de la concordancia debe haber hallado Lucas 24:27.

2 El Mensaje del Camino a Emaús
— Desde Adán Hasta Noé —

1. A: 6   B: 4   C: 5   D: 3   E: 2   F: 1   (págs. 280, 281
2. A: 2   B: 1   C: 3   (pág. 281)
3. El Señor hizo al hombre con voluntad, para que a través de sus obedientes decisiones honrara a Dios. (pág. 280)
4. *Verdadero*   (pág. 282)
5. A: 2   B: 5   C: 4   D: 3   E: 1   (págs. 283, 285-287)
6. El hombre tenía que morir por su pecado. Pero Dios amaba al hombre, entonces, por su misericordia, le mostró al hombre su gracia. Le brindó un camino que lo salvaría de la muerte eterna.   (pág. 283)
7. *Verdadero*   (pág. 285)

3 El Mensaje del Camino a Emaús
— Desde Abraham Hasta la Ley —

1. A: 3   B: 2   C: 1   (págs. 287, 288)
2. *Verdadero*   (pág. 288)
3. Jesús murió en nuestro lugar, asumiendo nuestro castigo por el pecado. Él es nuestro sustituto.   (pág. 288)
4. *A, B, C*   (pág. 289)
5. *Verdadero*   (pág. 289)
6. A: 2   B: 5   C: 4   D: 1   E: 3   (págs. 290, 291)
7. *Verdadero*   (pág. 292)
8. *Falso.* Los diez mandamientos eran sólo para mostrarnos que somos pecadores y que solamente podemos acercarnos a Dios a su manera.   (pág. 292)
9. *Verdadero*   (pág. 294)
10. Somos declarados justos por Dios.   (pág. 294)
11. *Verdadero*   (pág. 294)
12. *A, B, C, D*   (pág. 294)

4 El Mensaje del Camino a Emaús
— Desde el Tabernáculo hasta la Serpiente de Bronce —

1. *Verdadero*   (pág. 297)
2. *Verdadero*   (pág. 299)
3. *Verdadero*   (pág. 298)
4. A: 3   B: 4   C: 1   D: 2   E: 6   F: 5   (pág. 296)
5. A: 1   B: 3   C: 2   D: 4   (pág. 296-301)
6. A: 4   B: 1   C: 2   D: 3   (pág. 260, 261, 299)
7. *Verdadero*   (pág. 301)
8. *Cielo*   (pág. 301)

5 El Mensaje del Camino a Emaús
— Desde Juan el Bautista hasta la Resurrección —

1. *Muerte* (pág. 304)
2. A: 3 B: 1 C: 4 D: 2   (págs. 302, 305, 306, 308)
3. C (pág. 304)
4. *Pecado, justicia* (pág. 303)
5. *Regalo* (pág. 309)
6. *Quién* (pág. 311)
7. *Fe* (pág. 309)
8. *A, C* (pág. 311)

RESPUESTAS PARA CAPÍTULO QUINCE

1 ¿QUÉ ES LO QUE QUIERES QUE HAGA?

1. *Verdadero* (pág. 313)
2. C (pág. 313, 314)
3. *Falso*. Si creyó y se convirtió en uno de los creyentes más fieles. (pág. 314)
4. C (pág. 315)
5. *Verdadero* (pág. 315)
6. *Verdadero* (pág. 318)
7. A: 7 B: 5 C: 6 D: 2 E: 4 F: 3 G: 1   (pág. 316-317)
8. *Falso*. Si creemos en el Señor, su perdón es completo y no tiene condiciones. (pág. 319)
9. La relación entre un creyente y Dios es muy semejante a la de un hijo y su padre. La relación con el padre es permanenete. Jamás dejarán de ser padre e hijo. Sin embargo, si el hijo desobedece, el compañerismo con el padre se rompe, quedando roto hasta que el hijo admita su culpa y pida perdón. (pág. 320)
10. La Escritura dice que la vida de una persona viene determinada por el enfoque que le da. (pág. 321)
11. *Poned, puestos, considerad, esperando y apresurándoos*
12. *A, B, C* (pág. 321)
13. *A, B, C* (pág. 322, 324)
14. C (pág. 322)
15. *Uno mismo, Dios, otros* (págs. 322-323)
16. *Enfoque* (pág. 323)
17. A: 7 B: 5 C: 8 D: 6 E: 2 F: 1 G: 3 H: 4 (págs. 325-330)

2 ESPERARÉ UN TIEMPO CONVENIENTE

1. *B* (pág. 331)
2. *Verdadero* (pág. 331)
3. *Verdadero* (pág. 332)

El Forastero en el Camino a Emaús, está dirigido a quienes se consideran novatos en materia de Biblia, aunque aquellos que tienen buen conocimiento bíblico también aprovecharán al máximo su lectura. Presenta una narración cronológica de principio a fin, iniciando por lo sencillo hasta llegar a lo complejo. El objetivo del autor es hacer llegar el mensaje bíblico de manera clara, lógica y secuencial.

Adquiéralo en español en:

EDITORIAL CLC COLOMBIA
Diagonal 61 No. 24-50
Bogotá, D.C., Colombia
www.clccolombia.com

Colombia:	**Centros de Literatura Cristiana**	*Panamá:*	**Centro de Literatura Cristiana**
	ventasint@clccolombia.com;		*clcmchen@cwpanama.net*
	editorial@clccolombia.com		*Panamá*
	Bogotá, D.C.	*Uruguay:*	**Centro de Literatura Cristiana**
Chile:	**Cruzada de Literatura Cristiana**		*libros@clcuruguay.com*
	ocomclc@cruzada.tie.cl		*Montevideo*
	Santiago de Chile	*U.S.A.:*	**C.L.C. Ministries International**
Ecuador:	**Centro de Literatura Cristiana**		*orders@clcpublications.com*
	clcec@andinanet.net		*Fort Washington, PA*
	Quito	*Venezuela:*	**Centro de Literatura Cristiana**
España:	**Centro de Literatura Cristiana**		*clc-distribucion@cantv.net*
	pedidos@clclibros.org		*Valencia*
	Madrid		

Adquiéralo en inglés en:

GOODSEED Canada	800 442 7333	info.ca@goodseed.com
BONNESEMENCE Canada Service en français	888 314 3623	info.qc@goodseed.com
GOODSEED UK	0800 073 6340	info.uk@goodseed.com
GOODSEED USA	888 654 7333	info.us@goodseed.com

www.goodseed.com

GOODSEED® INTERNATIONAL
P. O. Box 3704
Olds, AB T4H 1P5
CANADA

Business:	403 556-9955
Facsimile:	403 556-9950
Email:	info@goodseed.com